PLANO DE JARDINES Y FUENTES

LEYENDA DEL JARDÍN

GUÍA DE VISITA

REAL SITIO
DE LA GRANJA DE SAN ILDEFONSO
Y RIOFRÍO

José Luis Sancho

© EDITORIAL PATRIMONIO NACIONAL. 1996
   Palacio Real de Madrid
   Bailén, s/n
   28071 MADRID
   Tel. 559.74.04
© ALDEASA. 1996
© De los textos: José Luis Sancho Gaspar

N.I.P.O. 006-96-001-5

Depósito Legal: M-7680-1996
I.S.B.N. 84-7120-188-7
I.S.B.N. 84-8003-065-8

Maquetación: Alberto Caffaratto
Fotografías: Patrimonio Nacional, Félix Lorrio
               *Paisajes Españoles
Fotomecánica: Lucam

Ilustración de cubierta: La Fuente de las Tres Gracias, con el Palacio Real al fondo,
                     de la *Colección Litográfica de Vistas de los Sitios Reales,*
                     por Fernando Brambilla, 1832.
Impresión: TF. Madrid

Impreso en España, *Printed in Spain.*

ÍNDICE

*Vista general del Real Sitio

EL REAL SITIO DE LA GRANJA DE SAN ILDEFONSO

Ya en la Edad Media los reyes de Castilla, que con frecuencia residían en la ciudad de Segovia, utilizaban como cazaderos los bosques situados al pie de las montañas de Guadarrama, y en especial el paraje de Valsaín. Enrique IV construyó en este lugar el palacio llamado la "Casa del Bosque"; levantó también otro refugio más

El Palacio Real
desde lo alto de la Cascada

El Palacio Real de Valsaín, mandado levantar por Felipe II cuando volvió a España desde los Países Bajos, es importante porque en él se introdujeron elementos flamencos e italianos entonces novedosos, pero llamados a perdurar en la arquitectura española. En las obras dirigidas por Luis y Gaspar de Vega se advierten dos fases (1552-1558-1563). En la primera se levantó un palacio cuadrado dentro de la tradición castellana; en la segunda, caracterizada por un estilo italiano inspirado en Sebastiano Serlio, se adosó al Sur un jardín cerrado, la "torre nueva" -el elemento más importante aún en pie- y un patio para fiestas, y se unificó el aspecto del conjunto mediante la construcción de altos tejados a la manera flamenca, al gusto del Rey, con fantásticas chimeneas de espíritu gótico y repertorio clasicista, que traen a la memoria Chambord, visitado por Gaspar de Vega en 1556. Un incendio en 1682, y luego la creación de La Granja, motivaron su decadencia, pero su acelerada ruina en el siglo XX se debe a que pasó a manos particulares en 1869.

El Palacio Real de Valsaín, *detalle. Anónimo madrileño del siglo XVI. Patrimonio Nacional, Real Monasterio de El Escorial*

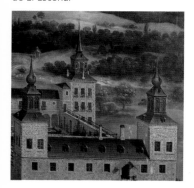

modesto junto a una ermita dedicada a **San Ildefonso** en 1450. En 1477, los Reyes Católicos cedieron este santuario y la propiedad adyacente a los monjes jerónimos del monasterio segoviano del Parral, quienes la convirtieron en una **granja** de recreo (ver. pág. 38).

Los sucesivos reyes continuaron cazando en **Valsaín,** en los veranos, y hacia 1717 Felipe V, que andaba de montería por los alrededores de la granja de los jerónimos, se "enamoró" del lugar: había encontrado el sitio ideal para retirarse del mundo, pues su temperamento, corroído por la neurastenia, anhelaba la quietud.

El primer Borbón español

Felipe de Borbón, duque de Anjou, era bisnieto de Felipe IV, cuya hija mayor, María Teresa, se había casado con Luis XIV; esto explica que, cuando en 1700 se extinguió la rama española de los Habsburgo, el testamento de Carlos II le declarase heredero universal. Sin embargo, la sucesión al trono español no resultó sencilla, pues los tratados anteriormente firmados entre las potencias y los intereses contrapuestos de Inglaterra, Holanda y el Imperio austriaco, por una parte, y Francia y España por otra, dieron lugar a la guerra que se prolongó hasta la Paz de Utrecht en 1713.

El Duque de Anjou, nacido en 1683, se había criado en la fastuosa Corte de su abuelo, Luis XIV, y como era el segundo de los hijos de *Monseigneur* el príncipe heredero y no se estimaba probable que fuese durante toda su vida más que un infante (*prince du sang*), se puso cuidado en formar su carácter para que la dificultad o el imprevisto no fuesen motivo de inquietud. ¿Quién podía suponer entonces que sus hermanos habrían de morir en 1713? ¿Y que, por tanto, si su sobrino -Luis XV- hubiese muerto de niño, como estuvo a punto de ocurrir, él hubiera ocupado el trono de Francia? Su temperamento flemático facilitó su educación, y resultó un príncipe piadoso, tranquilo, amable y algo introvertido; inteligente, y muy aficionado a los ejercicios físicos y a la caza, como toda su familia.

Cuando a los diecisiete años el Duque de Anjou se convirtió en Felipe V, rey de España y de las Indias, comenzó un proceso de desgaste psicológico que la prolongada guerra hizo más agudo. Por fortuna, su naturaleza le impulsaba a buscar refugio en su esposa, y las dos que tuvo fueron personalidades valiosas: María Luisa de Saboya, fallecida en 1714, e Isabel de Farnesio, con quien contrajo matrimonio en el mismo año. El afán de ésta por dotar a sus numerosos hijos con reinos y posesiones en Italia no bastó para disuadir a ese hombre, ya hundido anímicamente con poco más de treinta años, de la idea de retirarse.

El Real Sitio, retiro de Felipe V

Como evasión, el Rey cazaba cada vez más en los bosques reales de El Pardo y de Valsaín, en compañía de la Reina y de su fiel caballerizo mayor, el Duque del Arco. En 1718, prendado de la riqueza cinegética y de la belleza del paisaje, decide comprar a los jerónimos **La Granja de San Ildefonso** y hacer de ella un real sitio para su retiro, adornándolo de acuerdo con el gusto y la magnificencia dignos de un nieto del Rey Sol y de un Rey de España: como convenía a una gran casa principesca en el campo, lo más fastuoso del conjunto debían ser los jardines, al punto de resistir la comparación con los que había dejado en Francia.

La adquisición de La Granja se formalizó en 1720, y en 1723 y 1735 se adquirieron otras tierras que eran de la Noble Junta de Linajes y ciudad de Segovia, pero parece que estas últimas no determinaron la planificación del conjunto. La extensión definitiva a partir del núcleo originario se realizó en función de los deseos del Rey y de los planos trazados por sus arquitectos. Sólo así se explica la regularidad del perímetro total: un rectángulo encerrado entre fuertes tapias de mampostería.

El espacio dentro de este rectángulo está dedicado en más de dos tercios a jardines; el Palacio Real y la Colegiata separan a éstos del tercio inferior, donde se levantan los edificios construidos para alojamiento de la real comitiva. La unidad del conjunto procede de la

La abdicación de Felipe V y su retiro en La Granja.
"Hecha la consagración -de la Colegiata, en la Navidad de 1723- se esperaba marchase la Corte... pero entró el año de 1724 sin verificarse. Llamó entonces el Rey a los jefes de Palacio... a quienes declaró su intención de quedarse en el Sitio, y de renunciar la Corona en su hijo Luis I. Efectivamente el día después se publicó la renuncia y todos los señores de la Corte acompañaron en el paseo de los jardines a SS.MM., sin que nadie hablase una palabra hasta que la Reina dijo al duque del Arco, Caballerizo mayor: *Alonso ¿por qué no hablan?*, en cuya ocasión prorrumpió en llanto toda la comitiva, hasta entrar en Palacio. Habiendo subido el rey a su cuarto, mandó fuesen a servir al nuevo soberano los jefes... Quería el Rey vivir como un caballero particular... pasando de este modo una vida quieta y alegre...". Pero Luis I murió de viruelas el 31 de agosto de 1724. "Esta desgracia cortó al Señor Felipe V todas las ideas de su quietud y retiro...".
Antonio Ponz, *Viaje de España*, Madrid, 1787.

Parterre de La Fama

Felipe V e Isabel de Farnesio,
L.M. van Loo

Los jardines son siempre una imagen del Paraíso conforme a los gustos de cada época. En la de Luis XIV Quinault, el poeta de las óperas de Lully, tan familiares al joven Felipe V, cantó en *Armide* y en *Atys* la paz de los vergeles, animada sólo por el ruido del agua: *...il n'est permis qu'au bruit des eaux / de troubler la douceur / de un si charmant silence.*
San Ildefonso fue cantado por Delille cuando la Naturaleza ya se había convertido aquí en Artificio:

*Sans cesse résonnant dans ces
        jardins superbes,
D'intarissables eaux, en colonnes,
        en gerbes,
S'élancent, fendent l'air de leurs
        rapides jets,
Et des monts paternels égalent
        les sommets,
Lieu superbe où Philippe, avec
        magnificence,
Defioit son aieul, et retraçoit
        la France.*

(Resonando sin cesar en estos jardines soberbios, las aguas inagotables saltan en columnas grandes, en haces, hieren el aire con su surgir veloz y se igualan con las cimas de las montañas, de donde bajan a este lugar magnífico, en el que Felipe, emulando a su abuelo, recreó Francia.).

coherente concepción del jardín que ordena los ejes espaciales dentro de un ámbito cercado.

La construcción del Palacio y del jardín, según la forma inicial pensada para el retiro del Rey, se llevó a cabo entre 1720 y finales de 1723; el 15 de agosto de aquel año se anunciaba que "El rey ha resuelto volver a este Sitio desde El Escorial el día 9 del próximo mes de septiembre e ir a habitar con la reina a esa Granja... que el palacio y la Casa de oficios para la familia esté concluido, desembarazado y limpio". El 10 de enero de 1724 Felipe V anunció en San Ildefonso que abdicaba en su hijo Luis I, cuya rápida muerte en agosto de aquel mismo año supuso la vuelta al trono del "rey padre". La Granja hubo de adaptarse también a este cambio, pues de ser la residencia de un ex soberano se convertía en el Real Sitio favorito del Monarca reinante: se emprendió la ampliación del Palacio, y la del jardín a costa del parque, así como la construcción de nuevas y más magníficas fuentes. Durante los años siguientes la actividad constructiva y decorativa no cesó, frenada sólo en 1746 por la muerte del Rey, quien desde la vuelta de su viaje por tierras andaluzas -el llamado "lustro real", 1729-1734- pasó todas las temporadas veraniegas en el paraíso artificial que había creado, donde si no encontraba la quietud no había de ser, desde luego, porque los sentidos no quedasen satisfechos. El oído era acariciado por la armonía del canto de Farinelli y por el juego de las aguas del jardín; la vista, por el espectáculo de éstas animadas con las esculturas de Fremin y Thierry, la arquitectura de Juvarra, la colección de estatuas antiguas que habían pertenecido a Cristina de Suecia y la soberbia colección de pintura, cuyas mejores piezas están ahora en El Prado; el gusto y el olfato, por los productos de los huertos y planteles.

"Jornada" de verano en San Ildefonso

Cuando murió Felipe V, a su viuda Isabel de Farnesio se le reservó el disfrute vitalicio de La Granja, donde vivió durante todo el reinado de su hijastro Fernando VI (1746-1759), sin que llegase a hacerle falta el nuevo Real Palacio que se hizo construir en su dominio personal de **Riofrío.** El acceso al trono de su hijo Carlos III devolvió al real sitio

El Parterre de La Fama, *hacia 1825, Fernando Brambilla*

Isabel de Farnesio, *L.M. van Loo*

11

Vista aérea de la plaza de Palacio

todo su esplendor, pues de nuevo había de ser, durante los dos siglos siguientes, la residencia del Monarca y el escenario del fasto cortesano en los meses más calurosos del año, entre la "jornada" de primavera, en Aranjuez, y la de otoño, en El Escorial. Durante los reinados de Carlos III -con la urbanización del pueblo y la construcción de grandes edificios para la comitiva- y de Fernando VII las jornadas de La Granja fueron especialmente brillantes, pero ya en el de Isabel II el ferrocarril y la moda europea de los baños de mar empezaron a llevar a la Familia Real hacia las playas del Norte: primero a San Sebastián -donde la reina regente Mª Cristina de Habsburgo se construyó un palacio, "Miramar"-, y luego a Santander; el palacio de La Magdalena, regalado por esta ciudad a Alfonso XIII en 1912, pasó a ser el lugar favorito para el veraneo, sobre todo después del terrible incendio que en 1918 destruyó en gran parte el de San Ildefonso. Sin embargo, todavía fue brillante la vida de la Corte en La Granja durante el reinado de Alfonso XIII: aquí nacieron muchos de sus hijos -entre ellos don Juan, padre de don Juan Carlos I- y la infanta Isabel -"la Chata"- mantuvo su fiel apego a este Real Sitio.

LA VISITA. EL PALACIO REAL Y LOS JARDINES DE LA GRANJA DE SAN ILDEFONSO

La entrada al Real Sitio: la plaza de Palacio

La **puerta de Segovia**, con sus tres rejas de forja y adornos dorados, construidas según el diseño de José Díaz Gamones en 1767, constituyen la entrada principal a San Ildefonso. La **plaza de Palacio** está rodeada por algunos de los edificios dieciochescos que estaban destinados a albergar a la real comitiva (ver pág. 63). Hacia arriba, se abre un vasto espacio, dominado por la fachada occidental del Palacio Real, en cuyo centro avanzan el ábside y las torres de la **Real Colegiata**. La plaza no tuvo arbolado alguno hasta que en 1853 se plantaron las alamedas de castaños de Indias que limitan por su parte baja los **jardines del medio punto**, creados en los años siguientes, siguiendo el modelo pseudopaisajista de las plazas parisinas. En 1877 el jardinero Antonio Testard supervisó la plantación de las coníferas que entonces se pensaron como arbustos ornamentales exóticos, y que han alcanzado un soberbio desarrollo; entre ellos varios *abies pinsapo* muy notables, y sobre todo los dos grandes ejemplares de sequoia (*sequoiadendrum giganteum*) que, a manera de obeliscos vegetales, acompañan a los chapiteles del Palacio.

El Palacio y los Jardines Reales

"Si uno se va a vivir al campo es para poder tener un jardín más vasto y magnífico. En ese caso lo mejor es contentarse con una casa pequeña, acompañada por un gran jardín", decía Dézallier, el teórico francés de jardinería. Siguiendo este principio, en La Granja el jardín era más importante que el Palacio. Felipe V se atuvo al principio de especialización en el trabajo más que a la unidad del gusto, y, en lugar de encargar el diseño tanto de la casa como del jardín a un solo artista, comisionó a su arquitecto francés para disponer el jardín, y a su "maestro mayor" español para construir el Palacio.

Plaza de Palacio
con la Real Colegiata

13

El modelo de San Ildefonso no es sólo Marly, sino el espíritu que la escuela de Le Nôtre fue adquiriendo a principios del XVIII. El jardín debía resultar armonioso -ni demasiado abierto ni demasiado recargado-, variado, parecer siempre mayor de lo que en realidad es -y a ello sirve aquí la yuxtaposicion de ejes-, pero, sobre todo, había de adaptarse al lugar de tal modo que la regularización cartesiana del paisaje respetase su carácter propio, pues el arte ha de "servir a dar mas valor a la naturaleza".

El resultado es de un pintoresquismo sólo relativo, pues aunque no se fuerzan sino que se aprovechan los accidentes y el carácter del terreno, las formas están codificadas. La Granja es, en este sentido, un ejemplo típico de *Jardin de plaisance ou de propreté*, es decir, "un hermoso jardín el que se tiene cuidado de mantener con toda atención y limpieza, y donde principalmente se busca la regularidad, la perfecta disposición de los detalles y todo lo que más puede agradar a la vista, como son los parterres, los bosquetes, los *boulingrins*, adornados de pórticos, de gabinetes de *treillage*, de figuras, fuentes, cascadas...".

Pero San Ildefonso ofrece un resultado atípico, porque el extraordinario peso de los condicionantes, por un lado, y el afán de enriquecimiento plástico por otro producen una exasperada abundancia de terrazas, ejes yuxtapuestos y escultura decorativa.

A partir de la vuelta de Felipe V al trono en 1724 esa discrepancia entre el jardín y la casa, entre formas europeas y "castizas", empezó a diluirse merced al proceso de ampliación de la residencia y su envoltura por superficies al gusto italiano, a la vez que el jardín crecía y se adornaba más. La relación entre aquella y éste cambió hacia un mayor equilibrio, pero en cualquier caso el protagonista continuó siendo el jardín, que se mantiene intacto con todas sus esculturas y desde donde se contemplan las fachadas más bellas del Palacio.

LOS JARDINES DE LA GRANJA DE SAN ILDEFONSO

A la derecha de la fachada de la Real Colegiata está el **Arco del Infante**, cuyo nombre se debe a que sobre él se encontraron las habitaciones de don Felipe, luego Duque de Parma, ocupadas andando el tiempo por su hermano Luis, y más tarde por el infante don Gabriel. El arco une el Palacio con la **Casa de Oficios**, donde se alojaban los ministros. Frente a su puerta principal y a la calle del Rey se abren las tres bellas verjas de hierro forjado por las que se entra al jardín, obras de Sebastián de Flores (1723) y Fernando Garrido.

La Granja en la historia de la jardinería francesa y española

El jardín formal a la francesa, que se difundió por toda Europa a fines del siglo XVII y durante el XVIII, había alcanzado su cénit durante el reinado de Luis XIV, gracias a las creaciones de Le Nôtre, entre las que destaca Versalles. Pero como precedente inmediato de La Granja hay que destacar otro jardín del Rey Sol, que la Revolución desmanteló: Marly, donde el Rey pasaba sus jornadas de descanso.

En La Granja, Felipe V no pretendía emular la vasta escenografía monárquica de su abuelo en Versalles, sino construir un palacio con jardines para su retiro. No es extraño que para ello tuviese en mente Marly por la semejanza de su finalidad, por las características físicas del lugar y porque se trataba de una realización artística más cercana en el tiempo que Versalles y donde habían trabajado los principales escultores llamados para La Granja.

De acuerdo con ese modelo deseó un jardín a la francesa, cuya magnificencia fuese digna de un monarca español, es decir un jardín riquísimo en esculturas y fuentes y trazado según el estilo del momento.

Los condicionamientos decisivos para la forma del jardín fueron la orografía, la posición del Palacio y la existencia de tres zonas de función y características bien diferenciadas: los planteles *(potagers)*, el jardín *(jardin de propreté)* y el parque *(parc)*. El paraje escogido, el emplazamiento del Palacio y, por tanto, del jardín, y seguramente los

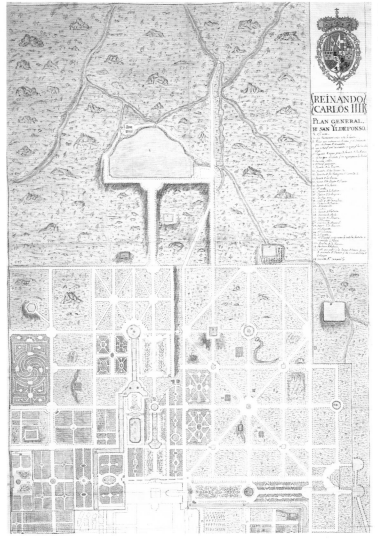

Plano del Real Sitio de San Ildefonso,
hacia 1789, Anónimo.
Archivo General de Palacio. Madrid

Puerta de entrada
a los jardines

límites exactos de la propiedad, fueron decididos personalmente, y si
se quiere de modo caprichoso, por Felipe V. Fue el Monarca quien
eligió, no sus técnicos, que hubieron de convertir en ventajas las
dificultades: un terreno pedregoso que ascendía desde el Palacio, pero
que hacia la izquierda caía en dirección al cauce de un arroyo.

René Carlier, arquitecto, es el autor del jardín. Había venido en 1712 para ejecutar en Madrid las obras diseñadas para Felipe V por Robert de Cotte, y aunque falleció en 1722, a los dos años de empezar las obras, su traza se llevó a cabo con pocas alteraciones. Junto a él, el primer jardinero mayor fue **Étienne Boutelou**, que desde 1716 lo era en Aranjuez; había sido llamado por el Rey, seguramente por recomendación de Carlier, y sus descendientes formaron una importante dinastía de profesionales de la jardinería en los sitios reales. Junto a él colaboró también **Étienne Joli**, jardinero mayor del Retiro. Boutelou y Joli continuaron la ejecución de los proyectos de Carlier cuando éste murió, hasta que en 1725 se incorporó a La Granja como director de las obras el ingeniero **Étienne Marchand**, que añadió a lo proyectado por Carlier los bosquetes del Canastillo, Latona y los Baños, añadidos a las Ocho Calles, y el parterre y bosquete de La Fama, obras en su mayor parte llevadas a cabo ya bajo la dirección de su ayudante y sucesor **Fernando Méndez de Rao. Louis Champion**, jardinero mayor bajo Carlos III, devolvió al jardín su esplendor original.

Plano del Real Sitio hacia 1740, atribuido a Méndez de Rao. Servicio Geográfico del Ejército. Madrid

La fuente de la Selva

Ejemplos de setos de carpe recortados, del tratado de J.A. d'Argenville. La théorie et la practique du jardinage, *1713*

El **trazado del jardín**, cuyas rarezas se explican en virtud de esos condicionantes y del gusto de la época, se debe al arquitecto francés René Carlier quien, antes de su temprana muerte, en agosto de 1722, tuvo tiempo de dejarlo trazado en su totalidad y realizado en su mayor parte. Carlier diseñó en el terreno ascendente frente al Palacio un **jardín** dispuesto en varios ejes paralelos yuxtapuestos, de los que resaltan fundamentalmente tres: la **cascada principal**, la **carrera de caballos** y la **ría**, que es el arroyo canalizado. Junto al jardín, un **parque** con ocho calles convergentes en una glorieta central para las reuniones de caza, sin el carácter ornamental del jardín y separado de él por una cerca; y, en lugares marginales, varios *potagers* o planteles. La división en **jardín** y **parque**, separados por la calle de la Medianería -y originalmente, además, por una pared a lo largo de ésta- se correspondía con otras diferencias: la zona del parque, o sea las Ocho Calles, estaba plantada de olmos con paseos laterales mientras que al norte de la Medianería éstos no existen, las calles son más estrechas y los árboles son tilos. Todo este vergel quedaba separado de los edificios por la calle de Valsaín, que se prolonga a lo largo de la terraza de Palacio, y forma el eje transversal básico del jardín, ordenando los bosquetes y planteles bajos. Cuando, tras la muerte de Luis I, Felipe V volvió al trono, el **parque** quedó

La Cascada, con la fuente de Anfitrite y el Cenador.

incorporado al **jardín**, y esta adición y la de otros bosquetes linderos con las Ocho Calles se decoraron con nuevas y más magníficas fuentes y esculturas.

Las fuentes y la escultura ornamental

Los juegos de agua de las fuentes y las esculturas que las animan son los grandes protagonistas del jardín de San Ildefonso. Las esculturas constituyen el conjunto decorativo francés de este género más amplio y mejor conservado de los realizados en los años finales de Luis XIV y en la Regencia, dado el desmantelamiento de Marly. Realizadas en un plazo relativamente breve, y por tanto muy homogéneas, se deben sobre todo a dos artistas: **René Fremin** y **Jean Thierry.** *(La atribución de las esculturas a uno u otro se designa aquí con la inicial respectiva de su apellido).* Al frente del taller les sucedieron Jacques Bousseau,

Fuente de los Baños de Diana

Los escultores franceses llamados por Felipe V constituyeron un abundante equipo, integrado en 1722 por nueve oficiales, seis marmolistas, dos modeladores y un cincelador, entre otros; pero sobre ellos destacan **Fremin** y **Thierry**, llamados en 1721.

René Fremin (París 1672-1744), discípulo de Girardon y pensionado en Roma, profesor en la Academia de París, realizó bastantes obras para Versalles y Marly; algunas se encuentran ahora en el Louvre. Nombrado "primer escultor" en 1727, continuó en La Granja hasta 1738. Su obra tiene bastante fuerza y carácter.

Jean Thierry (Lyon 1669-1739), personalidad menos destacada que Frémin, colaboró con éste en Versalles y realizó para Marly varias obras desaparecidas. Volvió a Francia en 1728. Aunque no tiene el vigor de su compañero, es delicado -a veces preciosista- y armonioso en la disposición, sujetando los movimientos a un compás moderado.

Pese a estos matices que los diferencian, es difícil atribuir a uno o a otro las obras en función del estilo, ya que el proceso de creación suponía muchas intervenciones, desde la "invención" del modelo hasta su materialización definitiva.

Pierre Puthois y Hubert Dumandre, este último cabeza de una dinastía de escultores al servicio real hasta bien entrado el siglo XIX.

La calidad de las piezas es característica del sentido decorativo y de la elegancia formal del rococó, aunque Fremin y Thierry se inspiraron frecuentemente en diseños de Charles Le Brun, dentro del gusto fuerte y heroico del siglo de Luis XIV.

Los talleres se instalaron en Valsaín. Por razones fundamentalmente económicas se desistió de fundir todas las

Parterre de La Fama

La terraza entre el Palacio y el jardín

esculturas en bronce y se recurrió al plomo barnizado imitando bronce rojizo -y sólo en pequeños detalles dorado-, como era entonces práctica usual en Francia, de donde se traía la pintura, que estaba encargado de aplicar un especialista, Jean La Coste.

Funcionamiento de las fuentes

Es costumbre en La Granja que todas las fuentes corran solamente el 25 de agosto, día de San Luis, patrón del Real Sitio, pero durante la primavera y el verano corren también algunas. En los últimos tiempos suelen ponerse en funcionamiento los miércoles, sábados y domingos, alternando cada semana uno de estos dos grupos a los que nos referimos en la página indicada entre paréntesis:

-La carrera de caballos (ver pág. 24), La cascada principal (ver pág. 22), Los Vientos (ver pág. 27) y La Fama (ver pág. 36).

-El Canastillo (ver pág. 29), Latona (ver pág. 33), Los Baños de Diana (ver pág. 33), y La Fama (ver pág. 36).

Desde que en 1990 se instaló en la de Los Baños de Diana el sistema de reciclaje de agua, esta fuente funciona una hora durante las noches de verano en los fines de semana, y el jardín iluminado resulta entonces muy agradable.

PASEO POR EL JARDÍN

En la plaza de acceso ante la fachada meridional de Palacio, éste se abre en patio de honor, llamado "de la herradura", hacia el largo **parterre de La Fama**, con la gran fuente que le da nombre al fondo, y que con sus jarrones, sus esculturas y bancos de mármol ofrece un hermoso aspecto desde la balaustrada (ver pág. 36). Aunque las rejas de la entrada datan del reinado de Felipe V, no se colocaron aquí sino en 1844, cuando esta plaza adquirió su forma actual al construir la escalinata y banco corrido con respaldo de hierro que la separa del parterre, pues inicialmente ese desnivel se salvaba por medio de una escalera y rampas de césped.

A la derecha, la calle de Valsaín, originalmente la entrada principal para los Reyes desde aquel antiguo palacio, separa el parterre de La Fama del gran esquema de las Ocho Calles. De frente, la calle de la Medianería sube hacia el Mar y el Bosque. Desde este punto cualquier paseo es agradable, pero el recorrido más acorde con el sentido original del jardín y con el proceso de su creación es el que se propone en las páginas siguientes.

Las iniciales designan a los autores de las esculturas:
F = René Fremin
T = Jean Thierry

El plano del jardín se encuentra en la solapa de portada

Parterre principal o de la Cascada

Un *parterre* es una superficie llana y despejada, adornada con flores y plantas dispuestas según un diseño geométrico a base de líneas rectas y curvas. Su emplazamiento lógico era frente a la casa, extendiéndose con tanta anchura como ésta y con la profundidad a proporción, porque así se podía contemplar desde las ventanas o desde la terraza. Los dibujos se inspiraban con frecuencia en el mundo vegetal -florones, palmetas, tallos...-, y también incorporaban conchas, tarjetones y otras formas del repertorio barroco. Formaba su límite exterior una platabanda de flores entre dos líneas de seto pequeño de boj, animada con pirámides y bolas de tejo que no debían dejarse crecer más de un metro de alto. Así eran los que ahora se ven tan grandes en los parterres de La Fama, que desde el reinado de Carlos IV presenta la forma llamada *a la inglesa*, la más simple: una alfombra de césped, con muy pocas o ninguna división, separada de la platabanda por una línea de arena con un ancho inferior a un metro.

Parterre de broderie, o de bordado

Otras posibilidades son subir por la Medianería hasta el Mar y el Bosque (ver pág. 29) dejando a la derecha las Ocho Calles (ver pág. 29), o ir hasta Los Baños de Diana (ver pág. 33) tomando bien la calle de Valsaín, bien el parterre de La Fama.

La calle de Valsaín, al pasar por delante de la fachada principal del Palacio a los jardines, se convierte en una terraza enlosada, adornada con grupos de niños y esfinges en plomo pintado (F). El primer bosquete de tilos, llamado **de los vientos** a causa de la fuente que hay en su parte alta, está muy cercano al edificio, situación alabada por los teóricos de la jardinería de aquel momento: "los bosquetes son tanto más agradables al estar cerca de la casa, pues así se encuentra sombra nada más salir, además de la frescura que da a las habitaciones, cosa la más deseada en la estación calurosa" (Dézallier). A continuación, abriéndose con tanta anchura como tenía el Palacio inicialmente construido, que corresponde al cuerpo central de la fachada de la residencia actual, se encuentra el **parterre de Palacio**, cuyo eje se prolonga en la monumental **cascada**, rematada por la **fuente de las Tres Gracias** y el **pabellón o Cenador.** Aquí el parentesco con Marly es muy marcado.

El parterre está adornado con jarrones de plomo (T) y flanqueado por bancos y por estatuas de mármol: en el lado derecho, el Otoño o Baco, América, el Verano o Ceres (T); en el izquierdo, Africa, Milón de Crotona y la Fidelidad (F). La cascada, entre cuyas esculturas destacan los ríos Tajo y Guadiana, como maravillados de la magnificencia real (T), estaba concluida y corrió por primera vez en 1723; fue objeto de una importante restauración bajo Isabel II. En el pilón inferior, el grupo de **Anfitrite** (T) constituye una alusión a la reina Isabel de Farnesio, puesto que se trata de la compañera de Neptuno, personificación de Felipe V en el pleno dominio de su reino (ver pág. 26).

Subiendo hacia el Cenador, (ver pág. 27) las estatuas que flanquean la cascada están dispuestas por parejas, una a la izquierda y otra a la derecha: la Gloria de los príncipes (T), y la Magnificencia (F); Asia (F), y Europa (T); el Invierno (T), y un Pastor (F); y la Primavera (T), y Diana (F); y entre ellas, jarrones de plomo (F y T). La cascada está coronada por dos grupos de animales (F).

A ambos lados del parterre, y en contraste con su carácter de espacio abierto, los bosquetes de tilos forman masas cerradas que lo complementan y que constituían gabinetes y salones de vegetación; toda esta parte estaba ya plantada en junio de 1722.

Siguiendo la terraza de Palacio, queda a la derecha la magnífica perspectiva de la **carrera de caballos**, y llegando al final vemos desde lo alto de la escalinata cómo el eje transversal del jardín se prolonga hacia abajo sobre la fuente de la Selva, los bosquetes del mismo nombre -que han sido rehechos en 1995 conforme a su disposición

Anfitrite

Los setos altos de carpe, llamados en francés *palissades*, formaban unas paredes de vegetación que ocultaban el interior de los bosquetes, de modo que desde la artificialidad del jardín no se viese su estado natural y para que sólo se pudiese entrar a estos **cabinets de verdure** por sus debidos accesos. En La Granja no se llegaron a hacer *palissades trés executées*, con forma de arquerías y pérgolas, sino que respondían al modelo simple generalizado en Marly: las plantas de carpe o de haya formaban una pared de dos metros o poco más de altura, sobre la cual sobresalían las copas de los olmos o tilos que crecían en libertad, sin ser podados en forma de pared. Actualmente la altura alcanzada por el arbolado de los bosquetes, y sobre todo por las coníferas introducidas desde fines del XIX, entorpece el crecimiento del carpe, pero la reposición y mantenimiento de estas paredes es uno de los esfuerzos principales de los jardineros de La Granja.

original-, el puente sobre la ría, los bosquetes del nocturnal y más allá, los planteles y el laberinto.

La **fuente de la Selva** tiene muchos surtidores altos y muy juntos que hacen el efecto de un haz o gavilla, *gerbe* en francés y de la mala versión del vocablo le viene el nombre. Tanto esa forma vegetal del juego de aguas como las figuras mitológicas de **Vertumno y Pomona** que ocupan su centro aluden a los planteles y huertos reales situados al otro lado de la ría, con magníficas rejas de Sebastián de Flores, del tiempo de la fundación. También es muy bella la que desde aquí sale a la calle de la Botica. El puente es obra muy armoniosa de Carlier, ejecutada por el cantero Andrés Collado. Las figuras o "términos" de mármol que resaltan sobre el seto de carpe se deben a cuatro de los principales tallistas franceses que quedaron en La Granja tras la marcha de Fremin y Thierry y la muerte de Bousseau.

Desde este mismo balcón de la Selva se aprecian dos de los grandes ejes longitudinales del jardín, paralelos a la calle de la Medianería y al eje del parterre de la cascada: la **ría** o cascada vieja y la **carrera de caballos**.

La **ría**, escalonada mediante varias caídas de agua a modo de cascadas, es el cauce de un arroyo natural que Carlier canalizó al construir el jardín; por encima de esa vaguada contuvo la pendiente natural del terreno con un gran muro de piedra que sostiene una prolongada terraza, limitada en toda su longitud por una hermosa barandilla de hierro forjado debida a Sebastián de Flores, y desde la cual se domina toda la ría.

Ejemplos de setos de carpe

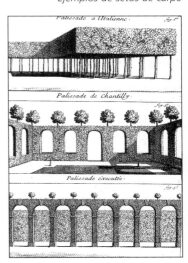

Fuente de Neptuno

Las perspectivas bloqueadas por las montañas resultaban chocantes para el gusto barroco, que prefería extender ilimitadamente la vista. Así, un personaje característico de la corte de Luis XIV, el Duque de Saint-Simon, criticó acerbamente la situación general y, sobre todo, la del Palacio, pues encontraba la llanura hacia Segovia más atractiva que la "desagradable belleza" de las montañas. El peculiar rasgo de sensibilidad pintoresquista de Felipe V, al desear el jardín vuelto hacia aquéllas, donde el monte se hacía más espeso, se explica en parte por el deseo de sacar el máximo partido a la principal ventaja del lugar: la abundancia de aguas vivas procedentes de la montaña, almacenadas en el gran depósito superior, "el mar", y capaces de formar grandes cascadas hacia la casa.

Este largo espacio aterrazado, dispuesto en varios niveles ascendentes desde el de la planta baja de Palacio, sirve de escenario a la más grandiosa perspectiva acuática de La Granja, la sucesión de fuentes llamada popularmente la **carrera de caballos**, que agrupa las fuentes de las **conchas** y del **abanico**, de **Neptuno**, de **Apolo** o de la **lira**, los **dragones en la Media Luna** de la ría y, en el arranque de ésta, al final de su tramo más alto, la fuente de **Andrómeda**.

Primero, alineaciones de tilos, setos y paredes de carpe forman un bosquete en torno a tres fuentes: las dos circulares pequeñas "del caracol" tenían en su fondo "conchas y otras producciones o despojos del mar" (T); entre ellas, un estanque cuadrado contiene una náyade acompañada de céfiros que agarra un pez, de cuya boca sale el agua en forma de **abanico**, lo que le da nombre (T). Pero, más allá de la forma graciosa, pintoresca y menuda que la cercanía de la residencia imponía a estas fuentes, los protagonistas de esta larga perspectiva ascendente recortada contra la montaña son los surtidores de las fuentes grandes siguientes.

Neptuno, en el centro de un largo estanque rectangular, campea imponiéndose sobre las aguas, en un carro triunfal de conchas tirado por caballos marinos. Le preceden y siguen sendos grupos de bestias semejantes con tritones, cupidos y peces, de modo que de los tres grupos salen otros tantos surtidores verticales, y varios oblicuos (F).

Fuente de las conchas

Neptuno

Apolo

Los ríos **Ebro y Segre** (T) flanquean un gran mascarón que vierte el agua sobre un estanque mixtilíneo situado entre las dos escaleras de mármol que sube al nivel superior. Este plano del aterrazamiento es inclinado, de modo que el largo estanque que ocupa su centro está dividido en tres cascadas. En la primera o más baja están las esculturas principales que le dan nombre: **Apolo**, vencedor de la serpiente Pitón rendida a sus pies, mantiene airoso su **lira** mientras el amor del Arte, que se pone bajo su protección, le presenta una corona de laurel, y el de la Guerra mantiene su carcaj listo para proveerle de flechas. Minerva, o la virtud invencible -cuyo escudo ostenta el lema "ni por la suerte ni por el destino"-, que ha vencido a la Envidia y la Discordia puestas a sus pies, tiende a Apolo un ramo de olivo como símbolo de paz (T). En las otras cascadas hay cuatro grupos de tritoncillos con dragones (T), y en total son cinco altos surtidores.

Los temas mitológicos de esta perspectiva escenográfica de fuentes -incluyendo la de Andrómeda, (ver pág. 28)-, adquieren un significado inequívoco en su conjunto. La representación se ha de entender empezando desde la escena más alejada y recorriendo todo el "teatro" hacia las inmediaciones de Palacio, donde, como es lógico, son las imágenes suaves las más convenientes: aluden al papel de Felipe V, salvador de la Monarquía y vencedor sobre los enemigos en la guerra de Sucesión -Andrómeda-; triunfador sobre la rebeldía, la envidia y la discordia y protector de las Artes -Apolo; los ríos en el estanque siguiente significan las regiones rebeldes-, y en fin, señor

Los dioses de la mitología, personificaciones de las fuerzas de la Naturaleza, se identifican de modo alusivo con la figura del Rey como defensor de la religión y del Estado, como gobernante justo y como señor absoluto en pacífico ejercicio de su poder. En este último significado, **Neptuno** cobra especial protagonismo en La Granja, que no en vano es un dominio acuático. **Apolo**, dios solar, es el símbolo más constante del Soberano, triunfador ya sobre las fuerzas contrarias al Bien -Pitón- y protector de las Artes -las Musas, que con él forman cortejo en la calle Larga-, pero su carácter de vencedor del Mal aparece encarnado con más fuerza en el héroe **Perseo**. Paralelamente a la *carrera de caballos*, donde se alinea esta afirmación de virtud viril del Rey, está dedicado a la Reina el eje de la *cascada*, con **Anfitrite** a la altura de Neptuno y **las Tres Gracias** a la de Apolo. También como personificación de la Reina, **Diana**, diosa de la caza e hija, como Apolo, de **Latona**, cobra protagonismo en la parte más tardía del jardín, pues conforme éste creció hubo de ampliarse el discurso mitológico.

La fuente de las Tres Gracias y el Cenador

absoluto en su pacífico y extenso dominio -Neptuno-, vasta sucesión de alegorías que recuerda el empleo semejante de esta temática en la ópera barroca, por ejemplo en la *Naïs*, de Rameau (1749), donde también la dominación olímpica, la Paz y el dios de las aguas son protagonistas.

Subiendo siempre por el lado de la barandilla, se domina la ría o cascada vieja, que forma una media luna con dos grandes surtidores alrededor de la isleta donde se encuentra el estanque de Apolo. Esta curva parece pensada para que el paseante, aquí detenido, se sintiese vivir en el elemento del agua: al correr la fuente de Andrómeda en lo alto de la ría, y todas las fuentes de la perspectiva hacia Palacio, mientras la cascada descendía su curso, el espectador parado en la

La fachada de Juvarra y el Parterre desde lo alto de la Cascada

La Media Luna fue concebida como un magnífico punto de observación: mirando ría arriba queda a la derecha el **parterre de Andrómeda**, que en principio era un *parterre de compartiment*, y a la izquierda los **boulingrins**, que formaban un *parterre à l'anglaise*. Así, a un lado y a otro de esa cascada se contrapesaban dos tipos de parterre distintos, cuyos "vacíos" hacían además oposición con los "llenos" de los bosquetes circundantes, enriqueciendo el jardín con tanta variedad. Todo este efecto fue descrito, cuando apenas había sido terminado, por el Marqués de Valouse con estas palabras: "Me han sorprendido muy agradablemente dos nuevos parterres de diferente clase, situados a uno y otro lado de la ría y que forman en mi opinión una de las cosas más bellas que es posible mirar. Allí se ven los surtidores subir tanto que parecen alcanzar la cima de las montañas, de modo que éstas parecen querer contenerlos y que no los dominan sino para servirles como de sombra a lo lejos, resaltando así de una forma admirable la blancura de esa agua purísima que, convertida en lluvia, vuelve a caer en los estanques".

isleta sentiría la sensación de que la materia vegetal se había vuelto líquida, en una transformación digna del palacio de Armida.

Desde la Media Luna, una escalera sube a otra cabeza de eje, en este caso el de la cascada nueva: la plazuela donde está la fuente de las **Tres Gracias,** desde la que se domina la cascada, el parterre y la fachada del Palacio trazada por Juvarra. Desde el pabellón que forma el fondo de la plaza se podía disfrutar no sólo esta hermosa perspectiva sino además la del lado opuesto, que sube hacia el mar tras haber descendido hasta el parterre de Andrómeda.

El **pabellón** -o "cenador de mármoles" como se llamaba en el siglo XVIII, aludiendo a los que forman su ornato interior con pilastras de orden compuesto- fue diseñado por Carlier pero realizado ya bajo la dirección de Fremin y Thierry. En su exterior, de caliza rosada de Sepúlveda, alegorías de las cuatro partes del mundo adornan los chaflanes y el **Amor a la virtud** corona la cubierta, mientras que en el interior cuatro figuras femeninas (F) aluden a su destino para la audición de música, tan importante en la Corte de Felipe V que contrató al famoso *castrato* Farinelli e hizo arraigar en España la ópera italiana.

La **calle Larga** sale de esta plaza -a la derecha según miramos el Cenador- hacia la plaza de las Ocho Calles (ver pág. 30), dejando a la derecha la **fuente de Eolo dominando los vientos** (F), emblema de la virtud que somete las pasiones, que da nombre al bosquete inferior.

Bajando por detrás del Cenador se atraviesa el **parterre de Andrómeda**, con cuatro esculturas de mármol representando a Juno,

Fuente de Andrómeda

Treillage es el nombre francés de las celosías de madera pintadas de verde que se utilizaban para respaldar los setos, y con las que se llegaban a formar verdaderas arquitecturas, como los tres pabellones unidos por una galería en semicírculo que remataban a modo de fondo de escena la gran perspectiva de la carrera de caballos. Este grandioso **treillage de Andrómeda**, que delimitaba la mitad superior de la plaza donde está esa fuente y cobijaba las esculturas que ahora se ven allí, subsistió hasta que bajo Carlos III se decidió, por fin, desmontarlo, porque, como todo este tipo de obras, exigía frecuentes reparaciones por su fragilidad y por la complicación de sus ornamentos. Otro *gabinete de celosías* más pequeño existió también en la entrada del laberinto.

Modelos de Treillages

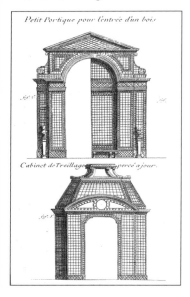

Neptuno, Saturno y una figura tocando la flauta travesera (F), y llegamos a la gran **fuente de Andrómeda** (F), que representa a Perseo salvando a la princesa de Etiopía del dragón que venía a devorarla, encadenada a un peñasco por disposición de Juno. Si el héroe representa aquí al primer Monarca español de la dinastía de los Borbones salvando la Monarquía, Minerva que le apoya alude a Francia, su principal apoyo en la guerra de Sucesión. Reduciendo al monstruo con la cabeza de la Medusa, Perseo ha infligido al monstruo ya muchas heridas que son otros tantos surtidores: de aquí le viene el nombre, **de las Llagas**, al pequeño estanque situado algo más arriba y que alimenta este juego; el surtidor principal alcanzaba los 37 metros de altura, pero ahora no suele correr.

La fuente de Andrómeda es el punto más alto tanto de la ría como de la gran perspectiva de la carrera de caballos, a las que servía de fondo escenográfico y de mirador para todo el conjunto, el gran *treillage* que ocupaba toda la media circunferencia del fondo de la plaza. En su lugar sólo se mantienen las esculturas de mármol, que representan a los cuatro elementos y a la poesía pastoral, lírica, heroica y satírica, y se deben a Fremin, salvo las dos primeras de la derecha, de Thierry.

Tras el **treillage**, y como oposición y complemento a los citados parterres, quedaban los bosquetes de Andrómeda, que seguramente estaban ideados para contener *cabinets et salons de verdure*; pero ya en 1737 se abandonó esta idea, ordenando colocar en los bosquetes de la Selva las cuatro esculturas o "términos" destinados a este paraje, y que ya hemos visto en la Selva.

Desde este punto, para seguir camino caben diversas posibilidades. Una es continuar el recorrido por el "jardín" primigenio, volviendo a Palacio por la Selva; así se visita el curioso **laberinto** que sigue una estampa de Dézallier y ha sido restaurado en los últimos años. Otra posibilidad, si se quiere hacer un paseo largo fuera del jardín formal, es subir hasta el Mar y el bosque, y en ese caso continuar -en el estanque cuadrado- la visita de las Ocho Calles, que es a donde pasaremos directamente para seguir viendo las fuentes.

Dejando ahora el inicial *jardín*, donde todos los árboles son tilos, nos adentramos en el *parque*, es decir en el área de las **Ocho Calles**, donde en origen las alineaciones de árboles eran de olmos y con diferente anchura en las avenidas. La escalinata ovalada de césped sube desde el parterre de Andrómeda a la calle de la Medianería, que se cruza para llegar al **estanque cuadrado;** éste, concebido desde el principio para alimentar la cascada principal en tanto que se llevaba a cabo el Mar o estanque general, impidió, con su posición girada, dar un trazado regular a los bosquetes más arriba de esta línea, añadidos en 1728 por Marchand al trazado de Carlier; la serenidad de estas aguas y el reflejo de las masas vegetales le dan un especial encanto.

La **fuente del Canastillo** (F) es la más sencilla en cuanto a la escultura, pero su juego de aguas es el más ingenioso y variado, especialmente cuando pasa de su primer movimiento al segundo; vista desde muy cerca puede causar una fuerte impresión. Donde están los cuatro grupos escultóricos clasicistas en plomo, que son de principios del XIX, debían haberse colocado otros cuyos modelos dejó hechos Bousseau en yeso, pero la muerte de Felipe V hizo que nunca se labraran en mármol.

La forma estrellada del área de las Ocho Calles obedece a su función inicial de parque de caza, con una glorieta central y otras cuatro plazuelas secundarias, todas ellas decoradas con fuentes después de 1725.

El bosque natural encerrado por la pared de piedra que limita el Real Sitio merece sin duda un paseo a lo largo de los arroyos que bajan de la montaña, atraviesan la cerca bajo un arco, se dividen canalizados y acaban en los depósitos de agua para el surtido de las fuentes. El principal de estos estanques es **El Mar**, donde los Reyes bogaban sobre una *Góndola* que se guardaba en la **Casa de la góndola** edificada al efecto en 1724, cuando Luis I mandó traer desde el Retiro para sus padres esa *barca de ceremonia*, soberbiamente tallada en Nápoles para Carlos II en el siglo XVII y que ahora está en Aranjuez. En el bosque, donde domina el pino, merece la pena destacar, como punto de vista y descanso, **el Gurugú**, y **el último pino**, aunque poco accesible y ya sin el gran ejemplar que servía de mirador desde el punto más alto dentro de la cerca de La Granja. Cerca del Mar y junto al partidor del arroyo, la **fuente del Pino** es uno de los manantiales naturales que surgen en los jardines y entre las que destacan la de la **Reina** -inmediata a la taza baja-, la de la **Mimbrera**, junto a la entrada del Vivero, y la del **Niño**, frente a la entrada principal.

Fuente del Canastillo

Dos parejas de fuentes, llamadas de la **taza** (F) en la línea de arriba y de los **dragones**, o del **trípode de Apolo** (T) en la de abajo, están colocadas a modo de hito que detiene la vista en las encrucijadas de las calles; son casi gemelas, salvo ligeros matices, como que las figuras en la **taza alta** son tritones y en la **taza baja** nereidas; éstas dos se inspiran, a la larga, en la fuente de la plaza Mattei en Roma, de Giacomo della Porta, mientras que las de los dragones siguen un diseño de Charles Le Brun. Entre los bosquetes de las Ocho Calles cabe destacar los dos grandes inmediatos a la calle de la Medianería, llamados "de la Canal", que contenían *cabinets de verdure* prolongando la secuencia de espacios recogidos, al otro lado de la citada calle, y sirviendo así de nexo entre los dos distintos sectores principales del jardín.

La **plaza de las Ocho Calles** constituye un acierto escenográfico aunque la pendiente haga que el efecto no sea tan afortunado como

Los bosquetes, masas de arbolado limitadas por las avenidas rectas del jardín, no sólo ofrecen frescor y sombra, sino que sirven para formar contraste con las partes abiertas como *parterres* y *boulingrins*. Los de La Granja estaban constituidos por árboles de mediano porte rodeados por paredes altas de carpe, y así se creaba un efecto de espesura inspirado en la vegetación francesa. En general, el interior de los bosquetes de La Granja se encontraba en estado salvaje: el roble, especie autóctona dominante, se dejaba crecer hasta una altura máxima de unos doce metros para que su sombra no perjudicase al crecimiento de los tilos y olmos de las avenidas. Desde finales del siglo XIX no se acostumbra talar, y los grandes ejemplares, sobre todo las coníferas, se elevan demasiado. Otros bosquetes, como los de la Canal o los de la Selva, tenían también en su interior paredes de carpe que formaban salas o *cabinets de verdure*. Una derivación de este tipo es el laberinto. Más ornamental aún era el bosquete adornado con platabandas de césped y setos bajos de boj, como el de los Vientos y el del Abanico.

Fuente en la plaza de las Ocho Calles

si se encontrase en lo más elevado del conjunto, o en llano. Desde su centro, ocupado por el grupo de Mercurio raptando a Psique, podían verse correr a la vez las cuatro fuentes de la taza y de los dragones junto a las ocho que ocupan las entrecalles de la plaza. Éstas se levantaron en 1734 y constan de estanques mixtilíneos, antaño solados con baldosas de mármol y pizarra, en damero, y edículos que, recortándose contra el fondo verde de los setos altos y del arbolado de los bosquetes, cobijan ocho estatuas de **Saturno,**

Fuente de Latona

Minerva, Hércules, Ceres, Neptuno, la **Victoria, Marte** y **Cibeles**, todas ejecutadas por Fremin, aunque la primera y la penúltima acabadas por Dumandre, bajo sus arcos de plomo pintado imitando mármol blanco y adornos de bronce dorado. Así, el total de juegos de agua visibles desde el pedestal del **Mercurio raptando a Psique**, era de doce, contando los de los Dragones y Tazas, o dieciséis con los del Canastillo, Latona, las Tres Gracias y La Fama. La luz del atardecer, reflejada por las montañas, es muy bella en esta glorieta, desde donde se puede bajar por la **calle Larga** hacia la fuente de Latona; en la primera encrucijada hay cuatro musas de mármol: Erato, Euterpe, Terpsícore y Talía, según modelo de Fremin pero labradas ya por Bousseau; lo mismo ocurre con las otras cinco musas, y Apolo, que se encuentran en el otro tramo de la calle Larga, entre la plaza de las Ocho Calles y la de la Medianería.

Fuente de los Baños de Diana

Fuente de Latona: un licio se convierte en rana

La **fuente de Latona** es la penúltima que se labró. Marchand había ideado hacia 1725 para rematar la calle larga un laberinto de planta semicircular, añadiendo más terreno al jardín; la nueva tapia ya había empezado a hacerse en 1728, pero ya no con la imaginativa forma proyectada sino limitándose a un mero contenedor para el elemento protagonista, que es la fuente, terminada antes de 1737. Latona, que para huir de la venganza de Juno erraba por el mundo adelante con sus hijos Apolo y Diana, llega a Licia y pide agua a unos campesinos que cortaban juncos en una charca; cuando se la niegan, irritada, clama venganza a Júpiter, e inmediatamente los miserables se transforman en ranas: fábula muy adecuada para aludir a las dificultades de un soberano en su niñez, como ocurre en Versalles. Aunque cabe pensar que aquí hubiera tal intención a propósito de Isabel de Farnesio y su posición poco brillante en principio, lo cierto es que el tema mitológico de por sí se presta al lucimiento acuático: los licios, unos ya transformados en ranas y otros en plena metamorfosis, lanzan como gritos de estupor grandes surtidores contra el macizo central, que llega a perderse de vista en el paroxismo del juego de aguas, escindido en dos movimientos muy bellos.

Los **Baños de Diana**, última fuente realizada y la única que tiene un carácter arquitectónico, surgió al final del reinado de Felipe V como el aparatoso colofón de un jardín cuyas importantes obras hidráulicas formaban ya entonces un conjunto homogéneo y cerrado. Su proyecto se debe a los escultores René Fremin y Jacques Bousseau, quienes lo estaban ideando en enero de 1737, y la orden definitiva

Fuente de los Baños de Diana, detalle

La abundancia de agua fue uno de los mayores atractivos del lugar para Felipe V, pues le permitía llenar el jardín de fuentes espectaculares, cada vez más apreciadas desde el Renacimiento italiano (Tívoli, Boboli) hasta Luis XIV, cuyos ingenieros llevaron los artificios hidráulicos a extremos de refinamiento sólo atajados por la escasez de agua o los inconvenientes de su bombeo, como ocurría en Versalles.

En La Granja un agua purísima procedente de la montaña, cristalina, muy abundante, era como un diamante en bruto que esperaba a los técnicos franceses que la tallaron a gusto del Rey. La construcción del estanque general (el Mar) y de otros seis más pequeños y el tendido de las numerosas cañerías formadas de tubos de hierro son los capítulos mayores del sistema hidráulico, intacto aún hoy, que por la simple presión y sin ayuda de bombas eleva los surtidores hasta alturas mayores de cuarenta metros.

Entre los hidráulicos franceses activos en La Granja durante el reinado de Felipe V destacan **François d'Orleans**, primer fontanero mayor, y su ayudante **Antoine Chapoteau**; a ellos se deben los juegos de agua del "jardín", los situados al norte de la calle de la Medianería, mientras que los del sur son obra de sus sucesores, **De la Roche**, **François Desjardins** y **Henri de Beaux**.

para la construcción fue dada el 5 de octubre del mismo año. Se debe a Bousseau la mayor parte y lo mejor de la escultura. Aunque la obra gruesa y los juegos de agua básicos ya estaban hechos en 1743, no puede estimarse que el conjunto quedase plenamente concluido hasta octubre de 1745, ya bajo la supervisión de Pedro Puthois y Hubert Dumandre. Paralelamente se ordenó la plaza donde se dispusieron estatuas, bancos y jarrones, colocándose los

Fuente de La Fama

últimos de éstos ya a principios de 1746. Cuentan que cuando Felipe V la vio funcionar por primera vez dijo: "Tres minutos me diviertes y tres millones me cuestas".

Diana descansa de la caza servida por cinco ninfas que atienden a lavarla, peinarla y secarla, mientras otras, distribuidas por el estanque, juegan con perros y delfines que arrojan surtidores. Detrás, en medio del escenario arquitectónico de piedra y mármoles, pero como

Boulingrin es la derivación francesa del inglés *bowling-green*, pradera para jugar a los bolos, en la que se inspiraron los jardineros del siglo de Luis XIV para formular un tipo de espacio abierto con césped muy parecido al parterre llamado a la inglesa. La diferencia respecto a éste es que en el parterre hay platabanda y por lo general todo el terreno es llano, mientras que en el *boulingrin* la pradera central está rehundida, rodeada de un talud también de césped. A veces no es fácil distinguirlos, porque un *boulingrin* puede estar en el interior de un parterre a la inglesa, como es el caso del de la Fama. Pero al tipo "puro" de *boulingrin* recortado correspondían en La Granja los cuatro llamados de Andrómeda, que formaban simetría con el parterre del mismo nombre, al otro lado de la ría.

Modelos de Boulingrin, *del tratado de J.A. d'Argenville,* La théorie et la practique du jardinage, *1713*

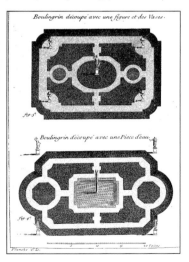

escondido en una gruta -pues el nicho estaba en origen decorado así, con *rocaille:* piedras de río, "conchas, caracoles, corales y otros despojos de mar, que forman un vistoso grutesco"-, un fauno que representa a Acteón toca la flauta mientras espía la escena; se ha escogido el momento idílico de esta historia. Cuatro jarrones de plomo, y cuatro ninfas cazadoras, de Puthois y Dumandre, alternando con bancos de mármol, adornan el contorno de la plaza.

Todo el espacio que ocupan esta fuente y su plaza son, como el de Latona, un añadido realizado entre 1728 y 1737 al perímetro original del parque, pues cuando se creó el Sitio había aquí una puerta de hierro por donde entraban los Reyes viniendo de Valsaín, y esto dio nombre a la calle que, dando frente a esta fuente, conduce hacia Palacio. La reja, que se debe a Sebastián de Flores, fue desplazada, y constituye la nueva puerta, llamada de los Baños -o de Cosio-, que queda en el eje de la Fama.

El **bosquete de La Fama**, contra cuya masa se recorta la fuente, que da nombre a todo este esquema, estaba formado por álamos a finales del siglo XVIII, pero como en la actualidad predominan en él las coníferas, la gran altura del grupo escultórico no gallardea tanto como estaba pensado. La **Fama**, montada sobre el caballo Pegaso y en ademán de tañer su clarín, lanza hacia el cielo su potente surtidor a más de cuarenta metros de altura, mientras varios guerreros moros caen vencidos a sus pies y por el peñasco, en cuya base cuatro figuras representan los ríos principales de España. El conjunto de esta aparatosa "máquina" (F), levantada hacia 1730, está influido por creaciones de Bernini, pero la figura principal está inspirada directamente en un dibujo de Charles Le Brun. La alegoría no trata sólo del papel del Rey como defensor de la religión -aludiendo a la conquista cristiana de los reinos musulmanes hispánicos- sino también a la gloria de Felipe V como paladín de la legitimidad tanto en la guerra de Sucesión como en las diversas campañas bélicas que por aquellos años emprendió en Italia para dotar de estados a los hijos que había tenido con Isabel de Farnesio, obteniendo por fin Carlos el reino de Nápoles, y Felipe el ducado de Parma. En la plaza alrededor de esta fuente hay, a la entrada del bosquete, dos estatuas de mármol, Lucrecia y Atalanta (F).

El **parterre de La Fama** era originalmente del tipo *de compartiment*, pero durante el reinado de Carlos IV fue rehecho como un *parterre à l'anglaise* y así ha llegado hasta nuestros días. Cuando los Reyes venían a ver correr la fuente ocupaban el paso entre las dos piezas de césped. Las dos esculturas en mármol representan a Apolo corriendo detrás de Dafne (F), y se colocaron en 1730. Los ocho jarrones de plomo se cuentan entre los más bellos del jardín: cuatro presentan las armas de Felipe V y las de Isabel de

El parterre de La Fama desde el Patio de la Herradura

Farnesio -las seis lises, que no deben confundirse con las tres de Borbón-, y los otros cuatro tienen figuras y trofeos de caza tomados de diseños de Oppernord (F).

La **calle del Mallo**, que limita el parterre por abajo y lo separa del bosquete de la Melancolía y de la "partida de la reina", servía para el juego de ese nombre *(mail),* híbrido entre el polo y el croquet, al que era muy aficionado Felipe V.

Patio de la fuente

El Palacio levantado por Ardemans, embebido dentro de la construcción actual, se trataba de una curiosa variante del tipo tradicional de alcázar hispánico con cuatro torres. A este respecto, su particularidad es que éstas no quedan en las esquinas, sino incluidas en el edificio, que era cuadrado, de dos plantas y cubierto con pizarra. Los lienzos de fachada estaban levemente rehundidos en sus tramos centrales, y pintados imitando ladrillo, con las esquinas y las guarniciones de los huecos de piedra. Para hacerse idea del aspecto es preciso observar los dos tramos de la fachada a la plaza del Palacio, a un lado y a otro de la Colegiata.

El elemento más característico y mejor conservado es el *Patio de la fuente*, en el centro del edificio; sus galerías facilitan la distribución. En torno hay una crujía de servicio contra la que se adosan las torres, y una y otras quedaban envueltas por las habitaciones de la crujía exterior. La monumental escalera ocupa la crujía norte, y al oeste se adosa el templo.

La **"partida de la Reina"** es el nombre que se da a los jardines planteles cultivados en el siglo XVIII por horticultores italianos, y al antiguo jardín de la Botica. Junto a su entrada se encuentra la **ermita de San Ildefonso**, a la que debe su origen y nombre este Real Sitio. Enrique IV la fundó en 1450 y, desde 1477 hasta que la adquirió Felipe V, perteneció a los jerónimos del Parral, que tuvieron aquí una de esas "granjas" como la de La Fresneda en El Escorial, donde los miembros de esa Orden rigurosa y aristocrática se retiraban por temporadas a descansar en el campo. Aunque debe su localización y área al siglo XV, la construcción actual corresponde al siglo XVIII, pues en 1742 se fundó una hermandad de jardineros que obtuvieron del Rey la cesión de la ermita como sede de su cofradía, y al año siguiente la reedificaron enteramente según traza de Santiago Bonavia, de modo que estaba ya abierta al culto en el verano de 1745.

EL PALACIO REAL Y LA COLEGIATA

El Palacio Real de la Granja de San Ildefonso es un edificio complicado debido a sucesivas intervenciones que culminaron en su forma definitiva. Si bien se construyó en un tiempo breve, fue ampliado y modificado sobre la marcha en función de las diferentes intenciones a las que hubo de responder, pues, aunque había sido concebido en principio como lugar de retiro de Felipe V, la vuelta al trono del Rey padre en 1724 supuso que La Granja pasara a ser la residencia favorita del Soberano y Sitio Real para la "jornada" del estío; por tanto, el edificio hubo de ser agrandado conforme a los patrones del arte cortesano europeo, y fue dominante el influjo del gusto italiano de la Reina. Los responsables de estas campañas constructivas son italianos: Procaccini y Juvarra, y sus respectivos discípulos. Así, evolucionando hacia una mayor magnificencia, las ampliaciones y reformas del Palacio de San Ildefonso reflejan el progreso del gusto italiano en la Corte de España entre los años 1720 y 1740.

Procaccini amplió el Palacio disponiendo cuatro alas que forman patios abiertos al Norte y al Sur y cuya construcción abarca los años 1724-1734. Cuando murió no estaba aún resuelto cómo sustituir la fachada oriental de Ardemans por otra que dominase y ligase las partes italianas ahora preponderantes. A ello responde la fachada diseñada por Felipe Juvarra en 1735 y construida por su discípulo Sacchetti en 1738-1741. La ejecución del proyecto de Juvarra trajo como consecuencia que se alterase la fachada a los jardines tal y como había sido concebida por Procaccini: quedaron canceladas sus ideas para el espacio central correspondiente al edificio de Ardemans, y las alas laterales resultaron alteradas. Tal cambio de proyecto, debido tanto a la muerte de Procaccini como al mayor prestigio de

Fachada de Juvarra

Juvarra, hizo que el grandioso sector central de fachada diseñado por éste quedase dominando las alas laterales, y provocó el desmoche de dos torres de Ardemans.

La intervención de Juvarra, a quien se debe en San Ildefonso esta fachada al jardín, el dormitorio de los Reyes y la galería -sin concluir-,

La fachada de Juvarra desde el Cenador

Andrea Procaccini, (Roma 1671-La Granja 1734) discípulo del pintor Carlo Maratta, resultaba "el tipo perfecto del artista culto del siglo XVIII". Contratado por Felipe V como pintor de Cámara, no sólo ejerció esa función y la de director de la naciente Real Fábrica de Tapices, sino que aconsejó a los Reyes en la compra de obras de arte en Italia y fue director general de las obras del Palacio de San Ildefonso, donde desde 1721 se realizó bajo su responsabilidad toda la decoración interior tanto arquitectónica como pictórica. Fue el artífice del plan de ampliación que hizo de este Palacio "el más vasto, majestuoso y profundamente marcado por el arte italiano que cualquier otro entonces en uso por los Reyes de España" (Bottineau). Constituye así un brillante ejemplar de residencia principesca barroca tardía, en la línea de las que por aquellos años se construían en Europa integrando sugerencias de la *Régence* y el Rococó francés con el diseño arquitectónico derivado de Borromini.

es lo que otorga al Palacio de La Granja un interés obvio desde el punto de vista internacional.

El esquema en la solapa posterior muestra cómo se fue desarrollando este proceso. Es importante examinar la arquitectura exterior, pues las fachadas importantes dan a los jardines.

Las **siluetas de dos torres,** coronadas por altos chapiteles de pizarra, y la de la cúpula de la capilla, bien visibles desde el parterre de La Fama, son lo único que permite hacerse una idea del primitivo aspecto del Palacio levantado por Ardemans en 1720-1723 para el retiro del Rey, donde permaneció durante el breve reinado de su hijo Luis I en 1724.

El **patio de la Herradura** da frente al parterre de la Fama, y debe su nombre a la forma de *cour d'honneur*, rara en España, en que se abría hacia la calle de Valsaín, pues de hecho se pensó como acceso para los Reyes: los dos cuerpos a izquierda y derecha de su entrada son escaleras, como revela la disposición de sus ventanas a diferente nivel respecto a las demás. La de la derecha conducía directamente a las habitaciones privadas de Felipe V e Isabel de Farnesio, y la de la izquierda a las de los Infantes. Este patio, con sus dos órdenes rítmicamente dispuestos de pilastras y columnas compuestas, era sin duda lo más atractivo del Palacio antes de la llegada de Juvarra, y constituye la última y más brillante aportación de Andrea Procaccini como arquitecto: la construcción fue realizada en su mayor parte después de su muerte, y dirigida por su discípulo Subisati. En una primera fase, terminada a fines de 1735, se levantaron los cuerpos de escalera simétricos y las galerías laterales; la segunda, iniciada a finales de 1737 y concluida en 1741 por el

Patio de la Herradura

cantero Sánchez de la Barba, consistió en levantar la galería y fachada de fondo del patio.

La **fachada larga hacia el jardín** se debe también, en sus cuerpos extremos, a Procaccini, que hizo aquí una composición donde las formas del barroco tardío romano mostraban la influencia de la arquitectura francesa de la Regencia. Se conserva la disposición de dos órdenes superpuestos y de los ritmos complejos del patio de la Herradura, pero enriquecidos por un mayor énfasis desde los extremos hacia el centro de las alas, donde disponía pórticos de columnas exentas. Estos debían armonizar con otro más extenso que Procaccini proyectó para el centro de la fachada frente a la cascada, ocultando la

Cuando Sacchetti levantó la fachada de Juvarra tuvo que respetar escrupulosamente el diseño, pero adaptarlo a un programa totalmente distinto. Las movidas masas del proyecto de Juvarra, con un gran rehundimiento entre dos resaltos, respondían a la voluntad regia de conservar el edificio de Ardemans enmascarándolo con una pantalla, sin alterar los interiores ni tocar los muros, que quedarían ocultos tras un monumental forro. Como la cimentación iba pegada a la mucho más endeble del Palacio de Ardemans provocó su ruina en 1736, ya muerto Juvarra. Aceptado el hecho consumado, los Reyes optaron por eliminar el fuerte retranqueo para que ningún pabellón saliente pudiera estorbar la vista desde los nuevos balcones centrales.

Así, Sacchetti no sólo levantó una fachada-telón sino que, demoliendo toda la antigua crujía de fachada, edificó otra enteramente nueva y de sólida fábrica abovedada, con siete grandes salas en cada piso, y cuya fachada sigue la traza juvarriana, pero alterando el ritmo de las pilastras y el ancho de los ejes para acomodar la secuencia a la línea recta de la planta, donde apenas se insinúan resaltos y retranqueos, y eliminando el dramático efecto que causaba el profundo rehundimiento de los huecos respecto al orden gigante.

primitiva fachada de Ardemans. Pero Procaccini murió en 1734, y Juvarra tenía ideas muy diferentes: las columnas que ya estaban puestas fueron eliminadas, y Sacchetti las utilizó para adornar los atrios del Palacio Real de Madrid.

La **fachada de Juvarra** hacia el parterre y la cascada es una de las piezas más admirables del barroco tardío europeo. Filippo Juvarra, llamado a España para proyectar el nuevo Palacio de Madrid, llegó en marzo de 1735, ocho meses después de la muerte de Procaccini, cuya fachada al jardín había quedado sin concluir. Los Monarcas decidieron emplear también en ella al nuevo arquitecto, encargándole un cuerpo central que rompió la unidad ideada por Procaccini, pues las alas extremas de éste quedan drásticamente separadas.

La fachada juvarriana constituye una unidad autónoma orgullosamente distinta de los cuerpos que la flanquean. Se articula mediante pilastras y medias columnas gigantes de orden compuesto, muy elegante por la sutileza de su diseño y por el juego entre la piedra rosa de Sepúlveda, el granito, y el mármol de Carrara en que está labrada la escultura decorativa, debida al escultor Baratta, y que representa las Cuatro Estaciones en las figuras que sostienen el ático, y a Marte y Minerva en los tondos. También se deben a Baratta los capiteles, los jarrones, el escudo y los trofeos de armas que coronan el conjunto -así como otras piezas que no llegaron a colocarse, y se han puesto en el patio de la Fuente-, pero no los mascarones debajo de los balcones principales, que no son de mármol y se deben a Bousseau.

Magnífica en su perfecta realización técnica y en la suave armonía cromática de blancos, grises y rosas, la fachada es en su diseño heredera de la tradición europea de los dos siglos anteriores, sobre todo italianos, con marcados ecos de Palladio, pero también franceses e ingleses.

Sin embargo, tal y como fue construida esta fachada, difiere del proyecto de Juvarra en aspectos fundamentales, pues en realidad se trata de una adaptación de los diseños del maestro llevada a cabo entre 1737 y 1743 por Sacchetti, que hubo de ceñirse a las difíciles condiciones impuestas por los Reyes.

Además de la fachada, Juvarra trazó para San Ildefonso otras dos obras más en el interior: el dormitorio real y la galería. Esta última marca en el Palacio el final del empeño constructivo de Felipe V, como en los jardines la Fuente de Diana. En los reinados siguientes, especialmente bajo Fernando VII e Isabel II, el Palacio fue objeto de obras de decoración de interiores.

El **patio de coches**, al que se accede desde la plaza de Palacio y que se abre hacia la parte baja de los jardines, se debe a Procaccini, pero en la fachada del fondo se mezclan obras de diversas fases: las puertas principales son, como la escalera de honor a la que dan acceso, obra de Ardemans; el pórtico es de Procaccini, pero hecho

El cuerpo central de la fachada de Juvarra, con las esculturas de Baratta

Detalle de una bóveda, por Rusca y Fedeli

La galería ocupaba toda el ala entre el jardín y el patio de coches, y había sido proyectada por Procaccini en 1725 para acoger la colección de esculturas recién comprada a los herederos de Cristina de Suecia. Estaba casi acabada cuando en 1735 Juvarra concibió para ella un nuevo proyecto de decoración arquitectónica, también en ricos mármoles, pero con una decoración pictórica que le daba el carácter de gran salón para las audiencias reales. Encargó a los pintores italianos de más fama entonces ocho grandes cuadros sobre la *historia de Alejandro*, alusivos a las virtudes del propio Felipe V. Los lienzos de Solimena, Trevisani, Conca, Creti, Pittoni, Costanzi Imperiali y del francés Carle Van Loo están ahora repartidos entre este Palacio, el de Riofrío y el de Madrid. El proyecto, que Juvarra dejó definido con "planta y alzado y todos los adornos de bellísimo gusto hasta la forma de las lunetas, que sólo resta repartir la bóveda", se fue realizando durante los años siguientes hasta la muerte del Rey, pero la costosa obra de mármoles quedó inacabada. Después de haber servido de teatro, juego de pelota, comedor de gala y picadero, fue dividida en dos pisos y convertida en habitaciones particulares del rey Francisco de Asís durante el reinado de Isabel II.

según dos proyectos sucesivos, uno que corresponde sólo al arco central y el otro a todos los demás, y el piso superior es ya neoclásico.

La **entrada a la visita de Palacio** está en el ala oriental del patio de coches, creada para albergar la suntuosa galería proyectada por Procaccini y Juvarra. Desde ella se recorren todos los apartamentos reales, con vistas al jardín, en la planta baja y en la alta. Todas las salas -salvo las dañadas a consecuencia del incendio de 1918- tienen sus bóvedas decoradas al fresco por Bonavia, Rusca y Fedeli, con escenas alegóricas y mitológicas encuadradas por perspectivas ilusionistas que abren las habitaciones reales a los espacios imaginarios del barroco. Las puertas y ventanas son las originales, en madera de nogal, olivo, aliso y boj, realizadas en diversas fases, entre las que destaca la ejecutada por Francisco Martín en 1735. Para imaginar la riqueza del Palacio bajo Felipe V es preciso tener en

Sala de la fuente

cuenta que, además de las colecciones de escultura y pintura que fue reuniendo aquí, el Rey hizo traer de Madrid en 1724 las alhajas -el *Tesoro del Delfín*, ahora en El Prado- y los muebles franceses heredados de su padre, así como los mejores relojes al cuidado de su relojero de cámara, Thomas Hatton.

Las **salas de la planta baja** quedaron dispuestas a finales del reinado de Felipe V como "galería de estatuas", decoradas al modo italiano sólo con esculturas, las de la riquísima colección de Cristina de Suecia, y servían para pasar las horas calurosas del estío. El éxodo de las esculturas hacia Aranjuez y Madrid empezó bajo Carlos IV, sustituyéndose entonces con moldes de yeso que en su mayor parte se conservan repartidos por dependencias del Palacio. Por tanto la decoración actual de las salas, aunque se compone de piezas antiguas, responde a un criterio reciente. También lo son los suelos: los originales eran de baldosa de barro, pues debido a la muerte de Felipe V no llegaron a colocarse las de mármol de Génova, pese a la firme intención que, tuvo la Reina viuda Isabel de Farnesio en este sentido, en 1749.

*Detalle de una bóveda,
por Rusca y Fedeli*

Los pintores que decoraron las bóvedas fueron llamados por el secretario de la Reina, Marqués Scotti, y eran como él de Piacenza, ciudad del ducado de Parma gobernado por los Farnesio. Su obra es característica del gusto barroco por los efectos escenográficos ·difundido por la familia Bibiena y por los artistas activos en Bolonia. **Giacomo Bonavia**, pintor especializado en las perspectivas arquitectónicas y en el diseño de adornos, vino en 1728 con Galluzzi y obtuvo mucho éxito en la Corte de Felipe V y Fernando VI como escenógrafo del teatro real de la ópera del Retiro y arquitecto en aquel Sitio y en el de Aranjuez, donde murió en 1759. Sus dos colegas llegaron en 1734: **Bartolomeo Rusca** (1680-1750), autor de muchas obras en las casas nobles piacentinas, era el especialista en las figuras, encuadradas por los diseños decorativos de Bonavia plasmados en las bóvedas por **Felice Fedeli**, que continuó al servicio de la Reina en La Granja, donde murió en 1773.

De cada sala se consigna primero el tema de la bóveda, pintada por Rusca y Fedeli, luego los cuadros y por último el mobiliario, y cuando nada se especifica de éste queda sobrentendido que es de la época de Fernando VII, a la que corresponden la mayor parte de los muebles y prácticamente todos los relojes, que son franceses. Ver planos en la solapa posterior.

Pieza de entrada, que era el comienzo de la Galería, y por tanto no tiene bóveda al fresco. Francesco de Mura, *Alegorías de las cuatro partes del Mundo*. Anónimo, *Susana y los Viejos*.

Sala 1. *Alegoría de la Conquista*.Serie de diecinueve cuadros flamencos del siglo XVII sobre la *Vida de la Virgen*.

Sala 2. *Venus pidiendo a Vulcano las armas para Eneas*. Buen *retrato* flamenco del siglo XVII. *Judith con la cabeza de Holofernes;* dos *batallas* atribuidas al Bourguignon, y un *Mendigo con un libro,* atribuido a Sasso.

Sala 3. *La Verdad elevada por el Tiempo; debajo, la Mentira*. Cuadros de las escuelas flamenca y holandesa, una copia de *La Sagrada Familia ("La Perla")* de Rafael, por José de los Santos; varias escenas de género por diversos autores a la manera de Teniers. *Alegoría de la Abundancia de Nápoles,* por Francisco de Mura.

Sala 4. *Plutón raptando a Proserpina*. Situada en el centro de la fachada, con magnífica vista sobre el parterre de Palacio y la cascada de mármol, esta pieza recibe el nombre de *sala de la fuente* por la que decora el testero, terminada en 1750; la hornacina está hecha a la medida para un *Apolo* de mármol blanco, ahora en el jardín del príncipe de Aranjuez; en su lugar, un busto de *la reina Cristina de Suecia*. La muerte de Felipe V impidió que llegase a concluirse el programa decorativo que había deseado para esta sala: "en los dos blancos que miran al jardín, pintarlos de países y arboledas, a fin que los que mirasen de afuera los cuartos, viesen la prospectiva imitada de los jardines". Las consolas doradas, con tablero de mármol verde de Génova, fueron realizadas por el tallista Bartolomeo Steccone según diseños de Juvarra.

Sala 5. *El rapto de Europa*; ésta es la llamada *sala de mármoles*, por los que forman el ornato de las paredes, que son amarillo y morado de Espejón, rojo de Cabra, blanco de Carrara y verde de Génova, del que también son los tableros de las consolas. Otro gabinete semejante que existió en el centro del edificio primitivo, frente a la cascada, había sido proyectado por Procaccini, y algo de su diseño y de sus elementos fueron reaprovechados aquí por su discípulo Subisati, como parte de los mármoles y los ornatos de bronce dorado en la cornisa. La mayor parte de los espejos que hay en esta sala y en las contiguas se encargaron a la Real Fábrica de Cristales de este Sitio en 1750, para sustituir a las perspectivas vegetales que también en esta pieza habían de hacer frente a las ventanas. Bustos de *Diana* y de

Sala de mármoles

Cristina, reina de Suecia, abdicó en 1653 y, tras pasar por Francia, vivió en Roma con todo el esplendor de su rango y rodeada de una importantísima colección de obras de arte. Cuando murió en 1689 fueron adquiridas por Livio Odescalchi, sobrino de Inocencio XI. En 1713 su heredero, príncipe d'Erba, empezó a plantearse su venta; pero las esculturas antiguas eran tan magníficas y valiosas que su comprador tenía que ser regio. Procaccini, que las conocía bien, convenció a Felipe V en 1724 para que se las quedase "...porque unión semejante ni la hay en el mundo ni se puede encontrar, si no se hallan bajo de la tierra". El cardenal Acquaviva llevó a buen puerto la gestión, consiguiéndolas a un precio razonable y sin derechos de exportación. Las esculturas fueron llegando a lo largo de 1725 a La Granja, donde estuvieron durante un siglo; ahora son joyas del Prado. Destacan entre ellas *Cástor y Pólux*, *las nueve Musas*, el *fauno del cabrito*, la *Ariadna dormida*... Otras esculturas antiguas fueron compradas a la Duquesa de Alba en 1728.

la infanta Mª Ana Victoria, prometida de Luis XV, por Fremin hacia 1722. Las consolas son también de Steccone.

    Sala 6. *Europa y Asia*. Retrato del *infante don Felipe*, luego Duque de Parma, por Jean Ranc, hacia 1726. Dos curiosos retratos de perros, *Fidel* y *Solimán*, por Michans. *Latona con Apolo y Diana*, de Andrea di Leone.

    Sala 7. *Africa y América*. Los lienzos se deben a M.A. Houasse, pintor de Felipe V; y a Fremin los bustos de Luis I y de su mujer, Mª Luisa de Orleans.

*Bóveda de la sala octava
en la planta baja*

La infanta María Ana Victoria,
hija de Felipe V e Isabel de Farnesio,
fue prometida en matrimonio,
cuando tenía cinco años, con Luis
XV, también niño entonces. Para
pedir la mano de esta princesa niña
en nombre del Rey de Francia, vino
a España en 1721, como embajador
extraordinario, el Duque de Saint-
Simon, que describió de manera
muy interesante la Corte de Felipe V
y La Granja.
Pero razones políticas hicieron que
el matrimonio no llegara a
celebrarse, y la Infanta fue devuelta
de Francia. Tras casarse con el
príncipe del Brasil llegó a ser reina
de Portugal.

La Infanta María Ana Victoria, como
reina de Francia, *René Fremin*

Sala 8. *Alegoría de la Paz (Belona presentando sus trofeos ante
Ceres)*. Entre los cuadros destacan los dos de Luca Giordano, *Epifanía*
y *Adoración de los pastores*, sobre vidrio; *Armida y los pastores*, por L.
Caracci; y *El anuncio del ángel a los pastores*, escuela de Bassano.
Consola de la época de Felipe V, y sobre ella reloj francés, por Godon,
de la de Carlos IV.
    Sala 9. *La Justicia y la Razón de Estado. La Magdalena
penitente*, copia de Veronés. Pinturas flamencas del siglo XVII con
temas de caza.
    Sala 10. *La Victoria conduciendo al príncipe ante la Gloria*. Los
cuadros son dos series de *Los sentidos*, una por Abraham Janssens
y la otra por Abraham van Diepenbeeck. En el centro, *La Fe*, por
Corradini, regalo del cardenal Acquaviva a Isabel de Farnesio. En los
proyectos decorativos de la época de Procaccini éste era el salón de
las empresas del Rey, antecedente de la galería juvarriana.
    Sala 11. *El valor, simbolizado por Hércules, coronado por la
Victoria*. Vistas de puertos, dos de Nápoles por Garro, y Ruiz.
    Sala 12. *Hércules niño*, o *La Fortaleza de ánimo*. Por esta sala se
accede a la pequeña habitación -no visitable- donde está la *fuente de
las conchas o de Galatea*, por Fremin; las pinturas al temple por
Bonavia son también de 1736, y por tanto las más antiguas de las
subsistentes en los muros de Palacio, pues las reformas llevadas a
cabo en 1742 motivaron la destrucción de todas las realizadas en
1734-1737; las que acabamos de ver son todas de 1743-1746, al
igual que las de la planta alta.
    Subiendo por la escalera de nogal, que era la reservada a Felipe V
e Isabel de Farnesio, se accede a la galería oriental del patio de la

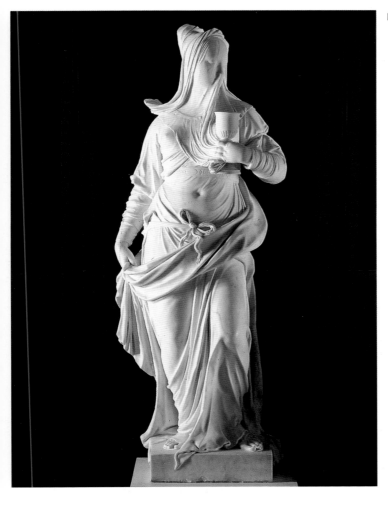

La Fe, *Antonio Corradini*

La Real Fábrica de Cristales, fundada por Felipe V en 1736, era una de las manufacturas de la Corona destinadas a realizar objetos de lujo para los Palacios Reales, como las de Tapices o de Porcelana en Madrid, pero también producía objetos para el consumo ordinario. Los primitivos edificios estuvieron dentro del pueblo hasta que Carlos III decidió en 1770 que se levantase la actual fábrica extramuros, formando un notable conjunto urbano con las avenidas en tridente que convergen en la puerta de la Reina y con la larga fachada externa de la Casa de Infantes. El proyecto se debe a José Díaz Gamones, quien había de acomodar la planta a los paseos arbolados exteriores y levantar un edificio con la menor madera posible, para evitar futuros incendios. La fabricación precisaba una nave amplia, unos espacios adjuntos más pequeños que servían como templadores y carquesas, y otras dependencias: el resultado es monumental, y puede visitarse, pues la Fábrica alberga hoy el Centro Nacional del Vidrio. En 1785 fue ampliada por Juan de Villanueva.

Herradura, que estaba ocupada por los "trascuartos" -piezas más íntimas y de guardarropa- de las habitaciones ocupadas por Felipe V e Isabel de Farnesio entre 1734 y 1743. El recorrido comienza por la sala 3; de ésta se pasa a la 2 y se ve la 1, para seguir luego por el resto de la larga **hilera de salas** que se divisan a través de las puertas alineadas.

La **planta principal de Palacio** albergaba las habitaciones donde se desarrollaba la vida tanto privada como oficial de las personas reales. Todas las bóvedas tenían decoraciones al fresco semejantes a

Hilera de salas en la planta principal y detalle del estuco en una de sus bóvedas

El incendio de 1918 hizo que desapareciese gran parte del Esplendor del Palacio de San Ildefonso, pues destruyó completamente el ala de la Botica (antigua casa de damas, o vieja de oficios), donde estaban las habitaciones privadas de los Reyes desde Fernando VII, y los cuerpos que flanqueaban la Colegiata y eran lo más antiguo del edificio. Dejó sin suelos ni techos las alas en torno al patio de coches y consumió toda la techumbre de la crujía que da a los jardines, dejando sólo intactas las partes central e izquierda del patio de la Herradura. La restauración fue dirigida en los años siguientes -los de 1925-1934 fueron los de mayor actividad- bajo la dirección de los arquitectos Juan Moya y Miguel Durán, que levantó el ala nueva del Museo de Tapices en parte del solar de la antigua Casa de Damas. El ala de las Infantas, entre el patio de la Herradura y la Casa de Oficios, no resultó afectada por el incendio y conserva interesantes decoraciones fijas dieciochescas y cuadros de M. A. Houasse, pintor de Felipe V.

las ya vistas, pero algunas se han perdido a causa del incendio de 1918. Aquí no había esculturas, pero quinientos lienzos de la colección de Felipe V y casi mil de la de Isabel de Farnesio cubrían las paredes desde los frisos hasta la cornisa; ahora se encuentran en su mayor parte en El Prado, y otros en las Colecciones del Patrimonio Nacional. El embaldosado de mármol italiano de diferentes colores data de 1745 y sigue los diseños de Santiago Bonavia. Las arañas y los relojes son franceses del decenio de 1820, y fueron comprados por Fernando VII.

*Dormitorio de Felipe V
e Isabel de Farnesio*

Sala 1. Antiguo gabinete de la reina Isabel de Farnesio, su rica decoración con talla dorada, espejos y lacas, diseñada por Procaccini y labrada por los mismos artesanos que la del contiguo dormitorio, se perdió a raíz del incendio de 1918. Anónimo romano, *Vista de Piazza Navona. Paisaje,* anónimo del siglo XVII. Dos *Floreros*, de Miguel Parra. Escuela flamenca del siglo XVII, *Anunciación* y *Huida a Egipto*. El buró para señora, de marquetería, es obra italiana de mediados del siglo XVIII.

Sala 2. Dormitorio de Felipe V e Isabel de Farnesio. Magnífica decoración fija diseñada por Filippo Juvarra, con pilastras, talla, cuadros y paneles de laca oriental según una combinación que ya había empleado en el palacio de Turín y que debió complacer en extremo a la Reina, muy aficionada a los biombos y demás objetos de China. La talla se debe a José Trul, Nicolás Argüelles y Andrés de la Viuda, dorada por Sebastián Fernández; y el zócalo de mármol a Juan de la Calle y José de Ris. El arquitecto encargó expresamente para

Detalle de Jesús expulsado del Templo, *G.P. Panini*

Filippo Juvarra, uno de los artistas más notables de la cultura dieciochesca europea, significa el brillante desenlace de varios siglos de arquitectura italiana en el clasicismo del barroco tardío. Nacido en Messina en 1678, pero educado en Roma y con su obra más importante construida en Turín y sus alrededores, fue llamado a España, por tratarse del arquitecto más prestigioso del momento, para que proyectase el Palacio Real Nuevo que había de construirse tras el incendio del antiguo. Llegó el 12 de abril de 1735 a Madrid, donde falleció el 31 de enero de 1736. Su estancia, aunque breve, fue fundamental para la orientación de la arquitectura de la Corona española, pese a que no se llegase a realizar su proyecto para el Palacio de Madrid, donde, inspirándose en él, construyó el que ahora existe su discípulo G.B. Sacchetti (Turín 1690-Madrid 1764).

Consola tallada por Bartolomeo Steccone según diseño de Juvarra.

esta habitación los cuadros: a Locatelli las dos sobrepuertas -*Jesús y la samaritana* y *Jesús en el Monte de los Olivos*- y a G.P. Panini, famoso pintor romano especializado en perspectivas, las cuatro con historias de la vida pública de Jesús: *La piscina probática, Jesús expulsando a los mercaderes del Templo, Jesús expulsado del Templo, Jesús y los doctores.* Juvarra escogió los temas no sólo por su contenido religioso, sino evidentemente porque resultaban adecuados a la habilidad de Panini, a quien conocía bien y fue en este género el pintor más famoso del siglo.

Carlos de Borbón, Rey de Nápoles, posteriormente, Carlos III en España, *Molinareto*.

Jesús en la piscina probática, *G.P. Panini*

Sala 3. Antigua antecámara de Felipe V. De escuela flamenca del siglo XVII, dos *bodegones* y *El Niño, San Juan y ángeles bajo una guirnalda*; copia de Bassano, *La Primavera* y *El Verano*. La gran mesa de comedor es un notable ejemplar del siglo XIX. La consola dorada se debe a Steccone, como las cuatro que ya hemos visto; otras, del mismo juego, existen en el Palacio de Madrid. Los jarrones son de porcelana del Buen Retiro, de la época de Carlos IV, y los centros de mesa, en bronce, de Thomire.

La familia de Felipe V, *L.M. van Loo*

Sala 4. P.P. Roos, *Pastor con ovejas* y *Paisaje con ganado*; anónimos alemanes del siglo XVII, *Manada de ciervos* y *Rebaño*.

Sala 5. Copias de Claude Lorrain, *San Onofre* y *San Juan Bautista*. Atribuido a H. van Swanevelt, *Paisaje con San Benito de Nursia*. Anónimo, *mujer velando a un niño*.

Sala 6. *Castigo de la Soberbia (Belerofonte derribado por el caballo Pegaso)*. Dos cuadros de los ocho encargados por Juvarra a diferentes pintores para la galería: Costanzi, *Alejandro aprobando los planos de la ciudad de Alejandría*, alusión a las construcciones promovidas por Felipe V; y de Trevisani *La familia de Darío a los pies de Alejandro*, metáfora de la clemencia de Felipe V hacia los enemigos vencidos.

Salón del Trono

Felipe V y su familia

El cuadro de Louis-Michel van Loo (Museo del Prado; en La Granja hay una copia) muestra a toda la Familia Real española viva en 1743. *Felipe V* (1683-1746), el "rey padre" del que descienden todos los Borbones actuales, está sentado en el centro; tiene a su derecha al *Príncipe de Asturias,* posteriormente *Fernando VI* (1713-1759), detrás de quien ocupan un sofá su esposa portuguesa, *Bárbara de Braganza* (1711-1758), y la infanta *María Ana Victoria* (1718-1781), entonces ya casada con el príncipe del Brasil, y luego reina de Portugal. Pero el Rey parece tener ojos sólo para mirar a su segunda esposa *Isabel de Farnesio* (1692-1766), con quien estaba casado en segundas nupcias desde 1714, sentada junto a él. Detrás de los Reyes están sus hijos, en orden de menor a mayor edad de izquierda a derecha: *Luis,* que fue arzobispo de Toledo y Sevilla (1727-1785); *Felipe,* duque de Parma desde 1735, y su mujer *Luisa Isabel de Francia;* las infantas *María Teresa* (1726-1746), delfina de Francia, y *María Antonia Fernanda* (1729-1785), reina de Cerdeña desde 1750. Junto a ellas está *María Amalia de Sajonia* (1724-1760), sentada junto a su marido *Carlos de Borbón* (1716-1788), duque de Parma desde 1731 y rey de Nápoles desde 1735, y desde 1759 *Carlos III* en España.

Sala 7. *Venus entregando a Eneas las armas*. Van Loo, *Felipe V e Isabel de Farnesio* (depósito del Museo del Prado); Ranc, *El infante don Carlos*. Otros dos retratos de Infantes, por Molinareto y la Clementina.

Sala 8. *Regreso triunfal de Jasón y Medea*. A Lorenzo Valle (siglo XIX) se debe la copia del vasto lienzo de Louis-Michel van Loo conservado en el Museo del Prado, *La familia de Felipe V*. Molinareto, *Carlos de Borbón, rey de Nápoles*, con fastuoso marco original coronado por las armas del personaje. Anónimo alemán, retratos del

*Detalle de la bóveda
en el Salón del Trono*

*Detalle del dosel bordado por Juan
López de Robredo para Carlos IV*

emperador *Carlos VI de Austria* y de su *esposa Isabel de Brunswick*. *Mesa de despacho* Luis XVI. Gran escritorio de marquetería, de mediados del siglo XIX, con la cifra del consorte de Isabel II, don Francisco de Asís de Borbón. La chimenea, con ricos adornos de bronce -desaparecidos en su mayor parte- es francesa, diseñada por Robert de Cotte en 1712 para el palacio antiguo de Madrid.

Sala 9. *La unión de Cupido y Psique*. Desde que la fachada juvarriana quedó concluida en 1743 esta sala central del Palacio, frente a la cascada de mármoles, fue el dormitorio real, siguiendo el

Bóveda de la sala décima de la planta principal

modelo de Versalles y Marly. El pavimento de mármol diseñado por Bonavia es el más bello del Palacio. Dos tapices flamencos del XVII, *La caza del jabalí de Calidonia* y *Apolo venciendo a la serpiente Pitón*. En medio, el dosel, ricamente bordado por Juan López de Robredo, data del reinado de Carlos IV, mientras que los tronos gemelos son, uno de ellos el original hecho en Nápoles en 1762 para el Salón de Embajadores del Palacio de Madrid, con la efigie de Carlos III, y el otro la copia realizada para Alfonso XIII, idéntica, salvo que el retrato de ese Monarca ocupa aquí la medalla.

Sala 10. *La caída de Faetón*. Van Loo, *Retrato ecuestre de Felipe V*, y *Retrato de Isabel de Farnesio. Paisajes,* por Jacques d'Arthois.

Sala 11. *Orfeo apaleado por las Bacantes*. Dos tapices, *La Fe* y *La Fortaleza*, sobrepuertas para la Pieza de Comer de Carlos III en el Palacio de Madrid según cartones de José del Castillo. Francesco Solimena: *La Batalla de Alejandro contra Darío,* pintado por encargo de Juvarra para la Galería. La chimenea de mármol ha perdido su rica decoración de bronces, pero no las placas dieciochescas de hierro fundido.

Sala 12. *Apolo matando a la serpiente Pitón*. Sebastiano Conca, *Agar e Ismael*. Cabezas dibujadas por la reina Isabel de Farnesio y fechadas en 1721: *La Caridad* y *Retrato de Felipe V*. Tapices de la historia de *José, David y Salomón*, sobre cartones de José del Castillo, realizados en la Real Fábrica de Madrid en el reinado de Carlos III. Los pedestales marmóreos son de los que estaban colocados en la planta baja para exponer los bustos de la colección de escultura. La disposición de esta antecámara como dormitorio es un montaje

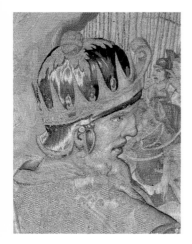

Detalle de la Tapicería de la Historia de Ciro

moderno, al igual que la pieza contigua de reclinatorio, con el oratorio portátil de Carlos IV.

Sala 13. *Calisto transformado en la constelación de la Osa Mayor*. Tapices bruselenses del siglo XVI, tres de la historia de Moisés, uno de la de Ciro y otro de Diana, compañero de los que flanquean el trono.

Sala 14. *La Victoria que premia a Belerofonte triunfador sobre la Quimera (Victoria de la Virtud sobre el Vicio)*.

La Sala de Alabarderos, situada entre la escalera principal -de Ardemans- y el patio de la fuente, está decorada con varias *cabezas* pintadas por Isabel de Farnesio y por B. Luti. Esta sala era el acceso obligado a las habitaciones principales: entrando a la izquierda, las de los Reyes; y a la derecha, las de los Príncipes de Asturias que, a partir de Carlos IV, se convirtieron en las particulares de los Reyes, completamente destruidas por el incendio de 1918.

El **Museo de Tapices** ocupa un ala levantada a propósito según proyecto de Miguel Durán (1932) en parte del solar de estas habitaciones, retomando la idea de hacer una exposición permanente de estas piezas ya planteada en 1899 -junto a la Real Armería de Madrid- y en 1926 -en Aranjuez-, pues hasta entonces no se veían más que de manera periódica e incompleta cuando se colgaban en la galería del Palacio de Madrid en ocasiones solemnes.

La **Colección de Tapices de la Corona de España**, la más rica del mundo junto con la de Viena, debe su excepcional número y calidad al dominio de los Soberanos españoles de la Casa de Austria sobre los Países Bajos, principal centro productor de esta refinada manufactura. El gusto por los paños de Flandes había prendido con fuerza en la España bajomedieval, pues concordaba con la tradición mudéjar del ornato mueble y sobrepuesto, de fácil transporte y capaz de convertir un espacio cualquiera en una sala rica cuando, además, la Corte carecía de un asiento fijo; así, a finales del XV abundaban ya en las casas de los grandes y en la de los Reyes Católicos, y esta tendencia floreció durante el XVI bajo Carlos V y Felipe II. Sólo la ruptura de la vinculación política de Flandes con España, como consecuencia de la guerra de Sucesión a principios del XVIII, acarreó el cese de este aporte de tapicerías, determinando la creación por Felipe V de la Real Fábrica de Tapices de Madrid, aún subsistente. Aunque el mayor número de piezas y las de mejor calidad de la colección patrimonial se encuentran en estas salas, muchísimas otras se hallan en los demás Palacios Reales -sobre todo en Madrid, El Escorial y El Pardo- y depositadas en embajadas y centros oficiales. Conviene destacar, ya que no todas, las series principales aquí expuestas.

Los Honores, tejida por el bruselense Pierre van Aelst sobre cartones atribuidos a diversos pintores -principalmente Van Orley y

Tapicería de La Creación: Adán y Eva comiendo el fruto prohibido

Gossaert de Mabuse-, está formada por nueve paños alegóricos, cuatro relativos a la ética privada -*Fortuna, Prudencia, Sabiduría Divina* y *Fe*-, cuatro a la ética pública -*Fama, Justicia, Nobleza* e *Infamia*- y uno, *El Honor*, que representa la culminación de este discurso moral aplicable al joven emperador Carlos de Habsburgo, coronado en 1520, año que figura en la *Fortuna*.

La serie estaba acabada en 1523, pero hasta 1526 no fueron remitidos a Carlos V, que entonces se encontraba en Sevilla. El programa fue establecido con toda precisión por un erudito anónimo que está representado en el extremo derecho de *La Infamia,* y se ha supuesto que es Jean Lemaire des Belges.

Las ideas están basadas en autores antiguos como Ovidio y Valerio Máximo y en humanistas como Bocaccio, Petrarca o Alain de Lille, y cobran realidad mediante figuras de la Historia antigua y medieval y personificaciones alegóricas, unas y otras identificadas con su nombre.

La *Fortuna* arroja flores sobre sus favorecidos y piedras sobre los demás, y su rueda no tiene otro fundamento que la inconstancia de las olas. El carro de *La Infamia,* azotada por *El Escándalo,* atropella a sus adeptos. *La Prudencia* conversa con La Fe y La Razón, y bajo su estrado Las Siete Artes Liberales se ocupan en fabricar su carro triunfal. En *La Nobleza* se propone a la Virgen María, al bíblico José y al emperador Trajano como ejemplos de esa cualidad. *La Sabiduría divina* preside la flagelación de un sátiro, símbolo del Vicio: debajo, La Fortuna ha quedado vencida por la Fortaleza y la Templanza. La *Justicia* está flanqueada por Tomiris y Escipión, la Fuerza y la Templanza. La *Fe,* rodeada por la Esperanza y la Caridad y las cuatro virtudes cardinales, triunfa sobre sus contrarios. La *Fama,* montada sobre un elefante, hace resonar sus dos clarines, el de la buena y el de la mala fama, y aparece acompañada por los escritores que la transmiten a la posteridad. Las escalinatas representadas en estos dos últimos tapices enlazan con las representadas en el de *El Honor,* y así termina en éste por la izquierda la sucesión de escenas de la moral privada, y por la derecha las de la moral pública.

Detalle del tapiz La Sabiduría Divina, *de la serie de* Los Honores

Para poder seguir la ilación de todo este pensamiento es preciso imaginar el tapiz de El *Honor* en el centro, al fondo del salón, con los tapices relativos a la ética privada a la izquierda, y los de la ética pública a la derecha.

Tapicería de Los Honores, *detalle de* La Fortuna

Detalle de la Tapicería de la Historia de Ciro

Las iglesias de La Granja dependen de la Colegiata, cuya ayuda de parroquia es **Nuestra Señora del Rosario**, edificada entre 1741 y 1751 según un proyecto muy italiano; también se la conoce como *El Cristo del Perdón*, por la magnífica talla de Luis Salvador Carmona que hay en uno de los dos retablos de mármol regalados por Isabel de Farnesio; junto al otro, el sepulcro del ministro de Carlos III *Manuel de Roda*. El gran cuadro del altar mayor es de Andrea Procaccini, terminado ya por Subisati, y estuvo destinado al de la Colegiata. **Los Dolores** era la sede de una hermandad fundada en 1737. Según proyecto de Miguel Núñez, Manuel del Valle levantó entre 1763 y 1770 la actual iglesia, que conserva también todo su mobiliario e importantes tallas de L.S. Carmona. **San Juan Nepomuceno**, sede también de cofradía, protegida por Carlos III y edificada en 1780, y **Nuestra Señora del Triunfo**, edificada en 1865-76 como iglesia del convento fundado por Isabel II, están cerradas al culto.

El Apocalipsis se compone de ocho paños tejidos antes de 1561 para Felipe II por Guillermo Pannemaker y Jan Gheteels sobre cartones atribuidos a Van Orley.

Otras tapicerías del siglo XVI expuestas en esta planta son *Los trabajos de Hércules*, por Gheteels, y tres paños de *Las fábulas de Ovidio*, por Pannemaker.

En la **planta baja**, la serie de *La creación del hombre*, sobre cartones de Miguel Coxcie, fue ya tejida en el siglo XVII por Fobert y Vervoert. Los *Triunfos de Petrarca* -de *El Amor*, de *La Castidad*, de *La*

Muerte, de *La Fama* y de *El Tiempo*- están basados en los poemas del poeta italiano que llevan ese título, y fueron tejidos sobre cartones atribuidos también a Van Orley.

De aquí se sale a la Plaza de Palacio y se accede a la **Real Iglesia Colegiata de la Santísima Trinidad**, que era la **capilla de Palacio**. Felipe V quiso dignificarla con ese rango para dar mayor esplendor al culto en su lugar de retiro, dotándola con un cabildo presidido por un abad que era prelado **in partibus**, y con jurisdicción omnímoda e independiente del obispado de Segovia sobre el Real Sitio y sus dependencias.

Detalle de la Tapicería de El Apocalipsis

La tribuna real en la Colegiata

La posición de la capilla en el eje de la entrada del Sitio ha sido destacada como un rasgo diferenciador de la católica Monarquía española en contraposición a Versalles, pero teniendo en cuenta que en origen el acceso principal era por la calle de Valsaín, tal posición dominante deja de serlo. Ardemans levantó un templo con planta de cruz latina característico del barroco madrileño, con una airosa cúpula rematada el 19 de septiembre de 1723. El interior estaba articulado por un orden dórico de pilastras, convertido en un jónico con ricos adornos de guirnaldas y elementos escultóricos de estuco según diseño de Sabatini en 1766; Bayeu y Maella pintaron entonces las bóvedas al fresco, pero debido al incendio de 1918 y al que sufrió la linterna de la cúpula en 1945 subsisten sólo *los cuatro evangelistas* en las pechinas, por Bayeu.

El **retablo mayor**, donde se despliega una gran riqueza de mármoles -rojo de Cabra, blanco y verde de Granada- y bronces, aunque no llegaron a colocarse todos los fundidos con este fin, fue diseñado por Ardemans, que durante sus últimos años dedicó toda su atención a este objeto. El cuadro es obra importante del napolitano Francisco Solimena, *La Santísima Trinidad y la Virgen adorados por los santos Felipe, Isabel, Luis de Francia, Fernando, Carlos Borromeo, Antonio y Teresa de Jesús*, patronos respectivos de los miembros de la Real Familia; pintado con posterioridad a 1730, suplantó al cuadro similar de Procaccini que ahora está en la iglesia del Rosario.

La **tribuna real**, frente al altar mayor, fue diseñada también por Ardemans aunque ejecutada bajo la dirección de Román, que se encargó de su colocación y dorado a principios de 1725; las columnas de mármol en las que se apoya son de las traídas de Roma con las esculturas de Cristina de Suecia. Debajo, la **sillería de coro** fue labrada en 1724 por el tallista Juan Panadero. En la nave, urnas con imágenes de Nª Sª del Rosario y de Nª Sª de los Dolores. En los altares colaterales, también debidos a la remodelación de Sabatini, dos grandes lienzos, *La imposición de la casulla a San Ildefonso* por Procaccini y la *Inmaculada* por Maella.

La **capilla de las reliquias**, accesible por la puerta que está a nuestra izquierda en el presbiterio, fue consagrada como tal en 1735, pero tras la muerte de Felipe V se ideó convertirla en **panteón real**, y a tal efecto recibió nuevos elementos ornamentales. El **monumento fúnebre de Felipe V e Isabel de Farnesio**, frente al altar de las reliquias, se construyó conforme a un proyecto encargado a Roma, habiendo llegado ya a finales de 1748, pues a principios del año siguiente Puthois y Dumandre estipularon los tipos de mármoles españoles con que había de realizarse. El diseño ha de ser por tanto de Ferdinando Fuga, y la presunta intervención de Subisati se limitaría a adaptar el proyecto a su emplazamiento, pues parece que había

El retablo mayor de la Real Colegiata

Bajo Felipe V no se planteó la ordenación urbana de San Ildefonso, llevada a cabo ya con Carlos III, desde 1766 hasta 1788, por el arquitecto José Díaz Gamones. Los edificios más importantes son los que se levantaron para albergar a la servidumbre, ministros y dignatarios de la Real Comitiva, y entre ellos destacan:

Casa de oficios, por Procaccini (1725), reconstruida por Sacchetti tras un incendio en 1740.

Casa de Canónigos, incendiada en 1754, 1787 y 1808, la actual data del reinado de Fernando VII, aunque ha sido rehabilitada en 1963.

Caballerizas Reales, 1738. Enfrente, el **Cuartel de Guardias de Corps**, por Juan Esteban, 1764

Casa de Infantes, por Gamones, 1770, para la servidumbre de los infantes don Gabriel y don Antonio, hijos de Carlos III, la más grande y monumental del Sitio.

Casa de gentileshombres, por Gamones, 1774. Ahora es particular debido a las ventas de 1870, al igual que muchas otras casas del Rey, como las de la Administración, de Scotti, del Estanco -todas estas en la plaza del Palacio-, de Alhajas, Almacenes, Cocinas, Cocheras y muchas otras, además de los edificios públicos - como el Hospital Viejo, actual Ayuntamiento- que también fueron construidos por la Corona, y de los cuarteles.

sido concebido para un lugar más espacioso. De las esculturas en mármol, se deben a Dumandre *La Caridad*, *La Fama* y la *medalla de Isabel de Farnesio*; y a Puthois las demás, incluyendo las que sostienen el escudo real; los estucos son de Sermini. Enfrente, el *Cristo triunfante*, relieve de estuco por Luis Salvador Carmona, remata el *Relicario* (urnas por los tallistas Chavarría y Trevisani, 1729, y Nicolás Argüelles, 1735), bajo el cual ha sido sepultada en 1990 la infanta Isabel, "la Chata". La pintura de la bóveda es de Francesco Sasso. El sepulcro provisional (1746-1758) de Felipe V está tras el retablo mayor

Panteón Real: sepulcro de Felipe V e Isabel de Farnesio

Cristo Triunfante, *L.S. Carmona*

de la Colegiata, en una pieza intermedia que lo separa de la sacristía, sobre la que se encuentra la sala capitular (no visitables).

La **fachada de la Colegiata** hacia la plaza corresponde a este cuerpo de sacristía y torres, añadido según diseño de Procaccini, a quien ayudó Subisati en la dirección de obra. Es evidente la inspiración en obras italianas tardobarrocas y, a la larga, en los ábsides miguelangelescos de la basílica vaticana. Los dos pórticos laterales de la iglesia son también obra diseñada por Procaccini, y llevada a cabo a la vez que los cuerpos altos de las torres, en 1727, y por los mismos artífices: el cantero Andrés Collado y el tallista Diego de Arce, autores de la vecina fuente del Mallo, en un rincón nostálgico cercano a la plaza de Palacio. De nuevo en ésta, no olvidemos que el pueblo de San Ildefonso es el mejor conservado de los antiguos sitios reales y que ofrece además los atractivos de su gastronomía.

EL REAL BOSQUE Y PALACIO DE RIOFRÍO

Saliendo de San Ildefonso en dirección a Segovia, y apenas pasado el puente sobre el Eresma, un desvío a la izquierda deja al mismo lado el antiguo jardín de Robledo, mandado hacer por Carlos IV cuando era príncipe de Asturias. La carretera sube hasta que se puede disfrutar de una vista completa de todo el Real Sitio de La Granja, y continúa

*Vista aérea de Riofrío

*Fachada principal
del Palacio Real de Riofrío*

*Uno de los jarrones de piedra que
rematan el Palacio de Riofrío*

rodeada de dehesas y prados que la hacen muy agradable, hasta que al cabo de doce kilómetros llega a su término, que es una de las puertas abiertas en la alta cerca de piedra que encierra setecientas hectáreas de bosque de encinas, robles, enebros y fresnos donde pastan una gran cantidad de gamos. En el centro hay un palacio italiano, cuadrado, dieciochesco y rosa. Esto es Riofrío.

Pero como esta puerta, llamada *de Castellanos*, suele estar cerrada, es preciso dejar la carretera comarcal al llegar al cruce con la general, ir hacia Madrid y luego tomar un desvío que está indicado más adelante, a la derecha. Así se entra a este real bosque por su puerta principal o de Madrid. Otra, llamada de Hontoria, o de Segovia porque conduce a la ciudad, distante nueve kilómetros, está igualmente abierta desde las ocho de la mañana hasta la puesta del Sol.

Riofrío era una dehesa y coto redondo de caza que Felipe V tomó en alquiler a partir de 1724. La finca complacía mucho a las personas reales para sus entretenimientos cinegéticos, pero su venta al Real Patrimonio estaba dificultada por el hecho de pertenecer al mayorazgo del Marqués de Paredes, que legalmente no podía enajenarla.

Cuando Felipe V murió en 1746, la reina viuda quedó como usufructuaria vitalicia de San Ildefonso, que permanecía sin embargo como propiedad de la Corona. Orgullosa como era, y mal avenida con sus hijastros los reyes Fernando y Bárbara, Isabel de Farnesio temió que una eventual presencia de la real pareja en La Granja la colocase en un segundo plano, y quiso formar una pequeña ciudad-corte que sólo dependiera de ella; amaba la caza, no le dolía el dinero y le gustaba construir, y así surgió la idea de hacer del coto de caza un sitio real.

Fernando VI vio con buenos ojos que su madrastra se construyese una segunda residencia, que la apartaría virtualmente de La Granja, y concedió dos gracias complementarias: el permiso de compra-venta y un decreto de total jurisdicción para la nueva augusta propietaria. La compra se formalizó el 19 de julio de 1751, y el 25 del mismo mes el Rey otorgó a su madrastra plena jurisdicción civil y criminal sobre su finca como señora del lugar. Posteriormente la Reina incrementó la extensión de la finca mediante la adquisición de terrenos colindantes a base de compras y permutas. Otras incorporaciones se llevaron a cabo durante los reinados de Carlos IV e Isabel II, y resultó un bosque de caza que no fue afectado por las ventas de propiedades del Real Patrimonio en el siglo XIX.

Pero quedaron en mero proyecto los edificios que habían de

El pintoresquismo de Riofrío obedece, en gran parte, a la curiosa impresión que causa una residencia principesca tan vasta y urbana en medio del monte. La adecuación de su forma a su uso como "palacio de campo" no resulta muy discutible si tenemos en cuenta todo el cortejo de construcciones que había de constituir un real sitio de retiro y que no llegaron a edificarse, provocando ese efecto de romántico aislamiento. En este sentido las dimensiones pueden considerarse también justas para su carácter y su época, teniendo en cuenta que el Palacio de Madrid construido por Sacchetti era juzgado pequeño entonces. Frente al estilo juvarriano de éste, inspirado en Bernini, el de Riofrío es de la Italia del norte: la sobriedad de sus muros deriva de los palacios de Piacenza y Parma.

Patio del Palacio Real de Riofrío

El Marqués Annibale Scotti, de Piacenza, era uno de esos "hombres de gusto" que nunca faltaban en las Cortes para asesorar en las realizaciones artísticas, a falta de un criterio sólido por parte de sus patronos. Había venido como ministro de Parma a España, y permaneció aquí el resto de sus días como secretario y hombre de confianza de la Reina que, según Saint-Simon, no le tomaba muy en serio, salvo en cuestiones estéticas, que incluían los espectáculos teatrales, pues ocupó el cargo de juez privativo de los cómicos italianos. Scotti se había formado en el gusto barroco tardío boloñés, tan vinculado a los artificios escenográficos de los hermanos Bibiena, por tanto no es extraño que influyese en la venida a España y en el generoso empleo de arquitectos-decoradores y pintores originarios del ducado de Parma y que tan profunda huella dejaron en los palacios de Felipe V y Fernando VI, como Galluzzi, Rusca y, sobre todo, Bonavia, responsable de muchas obras en Madrid y Aranjuez.

*Portada principal
del Palacio de Riofrío*

formar el Real Sitio: cuarteles de guardias españolas y valonas, casas de oficios y caballerizas, convento de franciscanos y un teatro, además de los jardines, trazados según el estilo francés por Champion. De todo ello se hizo sólo el ala que siempre ha servido como casa de oficios; la curva de su fachada enmarca, ligera y armoniosa, el bloque del Palacio que eleva con gracia contra el celaje castellano su silueta italiana. La integración de Palacio y bosque no puede ser más feliz, aunque su causa no haya sido una voluntad paisajística, sino la casualidad de una vuelta atrás político-dinástica: Fernando VI falleció sin poner los pies en La Granja, y aún antes que él la reina Bárbara. En 1759, ante la inminente llegada de su hijo, Carlos III, la reina madre corrió a Madrid, y no volvió a preocuparse de Riofrío. Los monarcas siguientes utilizaron Riofrío exclusivamente como un pabellón de caza, por lo demás desmesurado y vacío; su solidez hizo innecesarias obras de conservación importantes, y las estancias en este sitio de don Francisco de Asís y de don Alfonso XII dieron lugar solamente a obras menores de decoración.

El Real Palacio de Riofrío

El Palacio, que otorga singularidad y carácter a este cazadero, evoca a Isabel de Farnesio orgullosa, incapaz de pensar en quedar nunca en segundo plano, rica, magnífica y nada preocupada de la sensatez de sus empresas constructivas, pero no es la plasmación de sus gustos estéticos, sino de los de su secretario, el Marqués Scotti, que varias veces intervino en las obras reales enmendando la plana a los arquitectos encargados de ellas, especialmente a Sacchetti en La Granja y en la Corte, y favoreciendo a Bonavia. Las severas censuras que formuló en 1741 al proyecto de Sacchetti para el Palacio Real Nuevo de Madrid que se estaba llevando a cabo dieron lugar a una consulta por parte de la Corte española a los prestigiosos arquitectos romanos Fuga, Salvi y Vanvitelli, quienes elaboraron un importante informe sobre el Palacio de Madrid. La comparación entre el Palacio de Riofrío y las ideas expuestas entonces por el secretario de la Reina acerca de lo que debía ser un palacio real pone de manifiesto que Riofrío fue obra de Scotti: diez años después de sus ataques al arquitecto mayor, cuando en 1751 la Reina se decidió a construir un sitio real nuevo y propio, Scotti tuvo la oportunidad de materializar sus concepciones arquitectónicas, aunque fuese ya de manera póstuma, pues el proyecto estaba definido y sacado a contrata el 18 de mayo de 1752 y Scotti había muerto tres meses antes. La contrata se formalizó el 1 de julio de 1752 con una compañía de maestros italianos encabezada por Andrés Rusca y Bartolomé Reale; la primera piedra se sentó el 24 de octubre de 1752 y la obra marchó bajo la dirección de Rabaglio sólo hasta febrero del año siguiente, y luego

Una de las dos escaleras principales gemelas en el Palacio Real de Riofrío

El arquitecto en Riofrío es una personalidad ideal y doble: el planteamiento del edificio se debe a **Scotti,** corrigiendo un proyecto de **Sacchetti;** su materialización práctica, a **Vigilio Ravaglio,** utilizado por el Marqués como instrumento técnico.

La actividad de Ravaglio como hábil constructor en obras diseñadas por otros, su proximidad al círculo de la Reina alrededor de Bonavia y de Scotti, sus consiguientes trabajos como maestro de obras en el Palacio de San Ildefonso, le valieron el encargo de este Palacio, es decir, de precisar sobre el papel las ideas del Marqués, a las que tampoco era ajeno Ravaglio, pues había trabajado en el Palacio de Madrid y proporcionó seguramente datos importantes a Scotti y Bonavia cuando en 1745 estos plantearon un proyecto alternativo para las escaleras principales del Palacio de Madrid.

bajo la de Carlos Fraschina -hasta su muerte en 1757-, Pedro Sermini y José Díaz Gamones. Se concluyó en 1759, aunque los detalles se prolongaron hasta 1762.

El Palacio de Riofrío es cuadrado, de 84 metros de lado y su altura es de unos 24 metros. El patio central tiene 32 metros en cuadro. Comparado con el de Madrid obedece a las críticas que a aquél hizo Scotti: el patio se ha agrandado a costa de las crujías y el exterior se ha simplificado eliminando las columnas y pilastras, así como los entresuelos. La simetría está más acentuada que en Madrid, pues las

Despacho del Rey

Perros atacando a un jabalí, *tapiz de la Real Fábrica de Santa Bárbara, siglo XVIII*

cuatro fachadas no presentan diferencia en la disposición de sus resaltos, el patio ocupa el centro exacto de la planta y sus dos ejes coinciden con los de los accesos. En Madrid la disposición de dos escaleras dobles enfrentadas y la situación de la capilla no en la crujía de acceso, sino en la opuesta al fondo del patio, son sugerencias de Scotti que Sacchetti siguió al pie de la letra ya en julio de 1742. De este modo, un reflejo de lo que el Palacio de Madrid hubiera debido ser según Scotti se nos muestra en los tres elementos fundamentales del interior de Riofrío: las escaleras, el patio y la capilla.

Las **escaleras** están enfrentadas a un lado y otro del zaguán principal y forman un efecto escenográfico inspirado por Juvarra; cada una de ellas responde al tipo imperial, y la caja está articulada con un orden corintio elegante y ligero. Las balaustradas de piedra, según diseño atribuido a Jaime Marquet, se adornan con grupos alegóricos de niños esculpidos por Joaquín Dumandre y Andrés Bertrand.

Las **salas** de la planta principal albergan las habitaciones reales y el museo de caza.

Las **habitaciones reales** estaban decoradas a finales del siglo XIX con multitud de cuadros que se transfirieron luego a otros Palacios. Su disposición actual evoca los tiempos de Isabel II y de la Restauración, pues fue entonces cuando dos Reyes pasaron estancias algo prolongadas: don Francisco de Asís durante las jornadas de La Granja en los últimos años del reinado de Isabel II, y sobre todo Alfonso XII durante el luto por su primera esposa, María de las Mercedes de

Sala de música

Orleans. De aquella época datan chimeneas, cortinajes y algunos papeles pintados; otros son modernos y guardan semejanza con los decimonónicos. Cuando no se indica lo contrario los muebles son fernandinos o de la Regencia de Mª Cristina de Borbón; las arañas, modernas. Las esteras, usuales en los palacios españoles, como lo eran en las casas, se han mantenido en éste.

    1. **Salón entre las escaleras**. Tapices con temas cinegéticos, de la Real Fábrica, al igual que la alfombra, ya fernandina. De la época de Felipe V son los de *La caza del jabalí de Calidonia* y *Cazador furtivo*,

sobre cartones de Rubens y Wouwermans. Ya de Carlos III son otros cinco de *cacerías*, sobre cartones de Mariano Nani.

Pasillo de entrada, con estampas decimonónicas y varios cuadros, entre ellos *La perra "Lista"*, por J. Ranc, y dos *Batallas* por E. March.

2. Noventa y tres cuadros de la serie de *La vida de Jesús*, por el pintor florentino Giovanni del Cinque, adquiridos por Felipe V en 1729. Sofás y sillas de los primeros años del siglo XIX.

3. Otros cincuenta y cuatro cuadros de la misma serie; los otros dos que la completan -eran 150, de los que falta uno- se encuentran en el oratorio.

4. Luca Giordano: *La piscina probática* y *Jesús arrojando a los mercaderes del Templo*. Copia, por Esquivel, de *El Martirio de San Andrés* de Murillo.

5. **Salón de billar**. Copia por Perícharo de *El Banquete de los dioses* de Rafael. Giuseppe Bonito: *Elefante* regalado por el Gran Turco a Carlos de Nápoles en 1742. Juan de la Corte: *El caballo de Troya*. Muebles isabelinos. Pieza de paso, con vistas de Nápoles por Ruiz y Garro, y mobiliario alfonsino.

6. **Comedor**, que es la sala central del Palacio. *Bodegones*, en su mayor parte de Mariano Nani.

7. "Tranvía de los llamadores", que son isabelinos. Vistas de dos puertos del reino de Nápoles, Baia y Messina, por Juan Ruiz.

8. *Alfonso XII*, copia de Casado del Alisal por Ricardo Madrazo. S. Cervera: *La reina María de las Mercedes* (1878). E. Cano: retratos de los Duques de Montpensier, padres de la anterior (1866). M. Santamaría: *Misa pontifical*; Borrás Abella: *Coro valenciano* (1890). La lámpara, de La Granja.

Cámara oficial

9. **Cámara oficial**. Varios retratos. Destacan: *María de Medicis*, copia de Van Dyck; de *Nicolás de Largillière*, por el propio pintor; de *Carlos de Borbón* -idealizado- por su madre la reina Isabel de Farnesio, al pastel; otro pastel dieciochesco que representa a una *Monja*, con rico marco italiano de bronce y piedras duras; *La infanta Mª Ana Victoria*, hija de Felipe V, más tarde Reina de Portugal, por Sani; *Abate*, por un pintor romano próximo a Battoni. Sillería y consolas de hacia 1780.

10. **Despacho del Rey**. Retrato de grupo, *Los hijos de Isabel II, en París*, por Isabel Bernier. Mobiliario del segundo tercio del XIX.

11. **Sala de música**. Luis Ferrant: cuatro de las *Obras de Misericordia* (1851-1854); Juan Gómez: *Daniel en el foso de los leones*. Piano -que fue de Alfonso XII siendo príncipe- y sillería isabelinos; el espejo del XVIII.

12. **Anteoratorio**. Entre otros cuadros, *San Vicente de Paul*, por Vicente López, y *Clemente XII* por P. Perícharo.

13. **Oratorio**: altar portátil de Fernando VI (1753).

14. **Dormitorio de Alfonso XII**, utilizado por el Rey en los días inmediatos a la muerte de su primera esposa. Retrato de *Alfonso XII y*

Cámara de don Francisco de Asís

María de las Mercedes, anónimo. Cama del XVIII, al igual que el reclinatorio, de hacia 1770, y la cómoda, ya Carlos IV; sillería y mesillas alfonsinas, como el papel de la pared.

15. **Sala de recuerdos**, con objetos en cuatro vitrinas. Entre las pinturas destacan: *Boda de Adalberto de Baviera y Mª Amalia de Borbón*, por Galofre, 1860; *Don Juan de Austria ante Carlos V*, por B. Mercadé; *La reina regente María Cristina en Miramar*, por Laroque; *Alfonso XIII y su madre*, por Tovar.

16. *San Jerónimo*, por Preti; *Santa Catalina* y *San Felipe Neri*, por Maratta, entre otros cuadros de tema religioso italianos y españoles del siglo XVII. Escritorio holandés de marquetería, del siglo XVIII.

17. **Cámara de don Francisco de Asís**. Entre los lienzos destacan *Alejandro Magno en el templo de Jerusalén*, por Conca, de la serie encargada por Juvarra para La Granja; y la *Caída en el camino del Calvario*, por Mengs. Sobre las dos cómodas parisinas del Segundo Imperio, bustos de Isabel II y del Rey consorte.

18. **Dormitorio de don Francisco de Asís**. Entre los cuadros religiosos del siglo XVII, *San Francisco y San Pedro*, atribuido a Tristán. Entre el mobiliario, decimonónico, destaca la mesilla Carlos IV.

El **Museo de Caza** fue una iniciativa llevada adelante por el Marqués de Lozoya en la década de 1960, con la asistencia de Angel Oliveras y Ramón Andrada; en este montaje didáctico se integran reproducciones de piezas históricas, pero también algunas originales que conviene destacar.

Las tres primeras salas contienen reproducciones de pinturas y

Dormitorio de Alfonso XII

esculturas alusivas a la caza en la prehistoria, la época ibero-romana y el románico.

4. **Pabellón de caza del emperador Carlos V.** Snyders, *Cacería de ciervos*; De Vos, *Perros y jabalí*; *Meleagro cazando el jabalí*, copia dieciochesca del cuadro de Rubens en el que se inspira el tapiz que se encuentra en el salón entre las escaleras.

5. **Sala de los Austrias.** Lienzos de Snyders y De Vos; copia de la *cuerna de Venado* de Velázquez; el original en el Palacio de Madrid.

6. **Sala de los Borbones.** *Carlos de Borbón, rey de Nápoles* por Sebastiani. *Alfonso XII, niño,* con aire de cazador velazqueño, por Cecilia Ferrere. *Vista de El Pardo*, por Houasse. *Bodegones*, por Nani y Lucas. Otros dos, en trampantojo, por Gysbrechts. Tapices de la Real Fábrica.

A partir de aquí se suceden los *dioramas* realizados por el taxidermista Benedito y el escenógrafo Emilio Ruiz del Río.

7. **Ciervos**. Escopetas de caza de Alfonso XII y Alfonso XIII.

8. **Patos**. 9. **Rebecos**. Toribio Alvarez: *Cacería de los infantes en La Moraleja*, 1730. 10. **Corzos**. 11. **Cabra montés**. Seis bajorrelieves en cera por F. Pieri (1768), que muestran cacerías de Fernando IV de Nápoles. 12. **Avutarda**. 13. **Urogallo**. 14. **Garza real**. 15. **Perdiz**. 16. **Búho real**. 17. **Grulla**. 18. **Aguila real**. 19. **Zorro**. 20. **Buitre negro**. 21. **Buitre leonado o común**. 22. **Primer salón de trofeos**, cazados por el Duque de Calabria. Ramón Casas: *Alfonso XIII a caballo*. 23. **Segundo salón de trofeos**, también del Duque de Calabria. Eppinghoren: *Rebeco*. 24. **Gamo**. 25. **Oso**. 26. **Azor**. 27. **Jabalí**. *Perros con liebre muerta*, copia de Vos. 28. **Búho chico**. Mastelletta, *Cacería en*

un río. 29. **Faisán**. Anónimo fernandino, *El conde de Montemolín*. 30. **Agarre de Jabalí**. Anónimo del primer tercio del XIX, *perrero real*. 31. **Liebre común**. 32. **Conejo**. 33. **Muflón**. 34. **Lobo**. 35. **Lince**. 36. **Tejón**. 37. **Paloma torcaz**. 38. **Paloma bravía**. 39. **Paloma zurita**. 40. **Tórtola**.

El **patio**, totalmente labrado en granito y donde las entradas marcan el doble eje de simetría del Palacio, está inspirado muy de cerca en el de Madrid, pues también allí estaba previsto dividir los arcos de la galería principal en balcón y tragaluz.

La **capilla**, en el lado opuesto a las escaleras, como en Madrid lo impuso Scotti, tiene aquí la ventaja de ocupar sólo la crujía interior de ese lado, sin embarazar el desarrollo de las salas ni ser aparente al exterior. De planta elíptica, el altar está en planta baja. La tribuna regia queda en el piso principal, y encima las de los criados, distribución lógica en un lugar que no había de ser escenario de actos ceremoniales de Corte. Conserva el pavimento original de mármoles. Sobre el altar, *la Virgen y el Niño con Santa Bárbara* y *San Francisco de Sales*, atribuido a Antonio González Ruiz. En la sacristía, donde hay un lavabo de mármoles, y en las piezas de vestuario, varios originales y copias, entre los que destacan un crucifijo de Sacchi y una *Coronación de la Virgen*, sobre cristal, por Giordano.

Sólo nueve kilómetros separan Riofrío de Segovia donde, si se va a ver la Catedral, en el retablo del trascoro culmina la visita a este Palacio Real.

El retablo de Riofrío, suntuosa obra de mármoles realizada entre 1758 y 1762 por Hubert Dumandre, fue donado por Carlos III en 1782 al cabildo de Segovia para adornar el trascoro de la Catedral. Estaba inspirado en un retablo encargado a Roma por Felipe V en 1716: el de San Francisco de Regis de la casa profesa de los jesuitas, hoy en las Descalzas Reales de Madrid. De acuerdo con la forma de la capilla, el retablo de Riofrío era de planta cóncava y notablemente vertical, y para adaptarlo a su nuevo destino se enmendaron estos dos rasgos suprimiendo un cuerpo de pedestal conforme al proyecto de Villanueva, corregido y realizado por Ventura Rodríguez.

Garzas reales

BIBLIOGRAFÍA

General

PONZ, Antonio: *Viaje de España,* tomo XI, Madrid, 1787.

MARTÍN SEDEÑO, Santos: *Compendio histórico, topográfico y mitológico de los jardines y fuentes del Real Sitio de San Ildefonso, colegiata y fabricas y la de los Reales Sitios de Valsaín y Riofrío...* Madrid, 1825. Sucesivas ediciones, 1831; aumentadas por Andrés Gómez de Somorrostro: 1845, 1852, 1854, 1861, 1867.

FAGOAGA, José de, y MUÑICO, Tomás: *Descripción de los Reales Sitios de San Ildefonso, Valsaín y Riofrío...* Segovia, 1845.

BREÑOSA, Rafael, y CASTELLARNAU, Joaquín María de: *Guía y descripción del Real Sitio de San Ildefonso.* Madrid, 1884. Ed. facsímil Biblioteca Nueva-Icaro, La Granja, 1991.

BOTTINEAU, Ives: *L'art de cour dans l'Espagne de Philippe V.* Burdeos, 1962. Ed. esp. Fundación Universitaria, Madrid, 1986. Ed. revisada y ampliada, Sceaux, 1992.

CONTRERAS Y LÓPEZ DE AYALA, Juan de, Marqués de Lozoya: *Palacio Real de La Granja de San Ildefonso,* P.N. Varias ediciones, la octava corregida y aumentada por Concha Herrero Carretero, Madrid, 1985.

BOTTINEAU, Yves: *L'Art de Cour dans l'Espagne des Lumières.* De Boccard, París, 1986.

MORÁN TURINA, Miguel: *La imagen del rey. Felipe V y el Arte.* Nerea, Madrid, 1990.

SANCHO, José Luis: *La arquitectura de los Sitios Reales. Catálogo histórico de los Palacios, jardines y Patronatos Reales del Patrimonio Nacional.* Patrimonio Nacional-Fundación Tabacalera, Madrid, 1995.

Revista *Reales Sitios,* del Patrimonio Nacional, de 1963 en adelante.

Los Jardines

DÉZALLIER D'ARGENVILLE, J.A.: *La théorie et la practique du jardinage,* París, 1713. Manual muy difundido durante el XVIII. De él proceden las estampas reproducidas en esta guía.

WINTHUYSEN, Xavier de: *Jardines clásicos de España.* Madrid, 1930. Ed. facsímil a cargo de Carmen Añón, Doce Calles, Madrid, 1989.

DIGARD, Jeanne: *Les jardins de La Granja et leurs sculptures décoratives.* París, 1934.

CASA-VALDÉS, Marquesa de: *Jardines de España.* Espasa-Calpe. Madrid, 1982. pp. 153-165.

MORÁN TURINA, Miguel: "El Rapto de Psique. Felipe V y los jardines de La Granja", *Fragmentos,* nº 6 (1985), pp. 39-44.

AA.VV.: *Otoño en los jardines de La Granja,* Madrid, 1990.

SANCHO, José Luis: "Los jardines de La Granja de San Ildefonso", *Reales Sitios,* nº 120 (1994), pp. 17-28.

El Palacio Real

KUBLER, George: *Arquitectura de los siglos XVII y XVIII.* "Ars Hispaniae", tomo XIV, Madrid, 1957.

BATTISTI, Eugenio: "Juvarra a San Ildefonso" en *Commentarii.* Bolonia, 1958, pp. 273 y ss.

IRANZO FERNÁNDEZ, Rita. "El Palacio de La Granja. Tradición e innovación en las residencias reales españolas de los Austrias a los Borbones". *Punto y Línea,* núms. 7-8 (Valladolid, 1989), pp. 17-32.

MARTÍN, Pompeyo: *Las pinturas de las bóvedas del Palacio Real de San Ildefonso.* Patrimonio Nacional, Madrid, 1989.

GRITELLA, Gianfranco: *Juvarra. L'Architettura.* Modena, 1993.

ORTEGA VIDAL, Javier, y SANCHO, José Luis: "Entre Juvarra y Sacchetti: el emblema oriental de La Granja de San Ildefonso", *Reales Sitios,* nº 119 (1994), pp. 55-64.

AA.VV.: *Filippo Juvarra,* Catálogo de la exposición, Madrid, 1994.

JUNQUERA DE VEGA, Paulina, y HERRERO CARRETERO, Concha: *Catálogo de Tapices del Patrimonio Nacional.* Vol. I: siglo XVI. Patrimonio Nacional, Madrid, 1986.

JUNQUERA DE VEGA, Paulina, y DÍAZ GALLEGOS, Carmen: *Catálogo de Tapices del Patrimonio Nacional.* Vol. II: siglo XVII. Patrimonio Nacional, Madrid, 1986.

MARTÍN, Fernando A.: *Catálogo de la Plata del Patrimonio Nacional.* Patrimonio Nacional, Madrid, 1987

COLÓN DE CARVAJAL, José Ramón: *Catálogo de Relojes del Patrimonio Nacional.* Patrimonio Nacional, Madrid, 1987.

SÁNCHEZ HERNÁNDEZ, Mª Leticia: *Catálogo de Porcelana y Cerámica española del Patrimonio Nacional en los Palacios Reales.* Patrimonio Nacional, Madrid, 1989.

PASTOR REY DE VIÑAS, Paloma: *Historia de la Real Fábrica de Cristales de San Ildefonso durante la época de la Ilustración (1727-1810).* Fundación Centro Nacional del Vidrio-C.S.I.C.-Patrimonio Nacional, Madrid, 1994.

Riofrío

Ver la general, y además:

RUIZ ALCÓN, Mª Teresa: "El Palacio de Riofrío", *Archivo Español de Arte,* XXXVI (1963), pp.281-296.

HERRERO, Mª Jesús: *Palacio de Riofrío. (Guía)* Patrimonio Nacional, 1990.

ESTE LIBRO, COEDITADO POR EL PATRIMONIO NACIONAL Y ALDEASA, SE TERMINÓ DE IMPRIMIR

EL 23 DE ENERO DE 1996, FESTIVIDAD DE SAN ILDEFONSO,

EN MADRID EN T.F. ARTES GRÁFICAS

PLANTA PRINCIPAL DEL PALACIO REAL DE RIOFRÍO

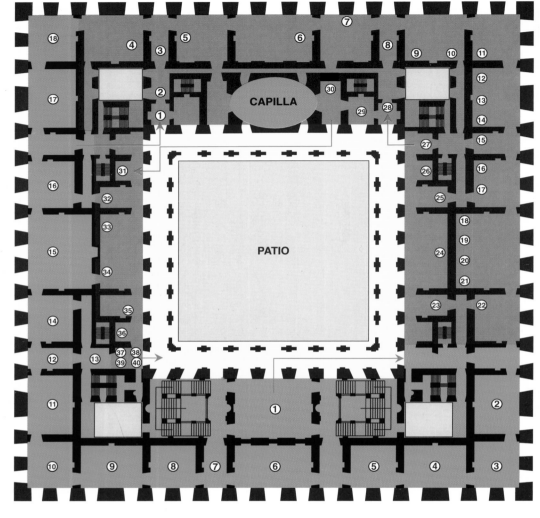

PLANTA PRINCIPAL DEL PALACIO REAL DE RIOFRÍO

Habitaciones reales

1 Salón entre las escaleras
2 Primera sala de La vida de Jesús
3 Segunda sala de La vida de Jesús
4 Sala de Luca Giordano
5 Salón de billar
6 Comedor
7 Tranvía de los llamadores
8 Antecámara
9 Cámara
10 Despacho
11 Sala de música
12 Anteoratorio
13 Oratorio
14 Dormitorio de Alfonso XII
15 Sala de recuerdos
16 Antecámara de don Francisco de Asís
17 Cámara de don Francisco de Asís
18 Dormitorio de don Francisco de Asís

Museo de Caza

1 La caza en la Prehistoria
2 La caza en la época íbero-romana
3 La caza en la Edad Media
4 Pabellón de caza del Emperador Carlos V
5 Sala de los Austrias
6 Sala de los Borbones
7 Ciervos
8 Patos
9 Rebecos
10 Corzos
11 Cabra montés
12 Avutarda
13 Urogallo
14 Garza real
15 Perdiz
16 Búho real
17 Grulla
18 Águila real
19 Zorro
20 Buitre negro

21 Buitre leonado o común
22 Primer salón de trofeos
23 Segundo salón de trofeos
24 Gamo
25 Oso
26 Azor
27 Jabalí
28 Búho chico
29 Faisán
30 Agarre de Jabalí
31 Liebre común
32 Conejo
33 Muflón
34 Lobo
35 Lince
36 Tejón
37 Paloma torcaz
38 Paloma bravía
39 Paloma zurita
40 Tórtola